Caroline Duda

„Komm, ich erzähl' dir eine Geschichte"

Storytelling als bibliotherapeutische Methode am

Bibliografische Information der Deutschen Nationalbibliothek:

Bibliografische Information der Deutschen Nationalbibliothek: Die Deutsche Bibliothek verzeichnet diese Publikation in der Deutschen Nationalbibliografie; detaillierte bibliografische Daten sind im Internet über http://dnb.d-nb.de/ abrufbar.

Copyright © 2019 Diplom.de
Druck und Bindung: Books on Demand GmbH, Norderstedt Germany
ISBN: 9783961168354

Caroline Duda

„Komm, ich erzähl' dir eine Geschichte"

Storytelling als bibliotherapeutische Methode am Beispiel von Jorge Bucay

Diplom.de

Abstract

Während die Bibliotherapie den Anspruch auf *heilende* literarische Texte stellt, ist es ein Anliegen der Erzählkunst, durch einen gelungenen Spannungsaufbau Inhalte wissensfördernd zu vermitteln.

Die vorliegende Arbeit verfolgt das Ziel, *Storytelling* – ein Begriff, unter dem die Kunst des Erzählens neuen gesellschaftlichen Aufschwung erfährt – als bibliotherapeutische Maßnahme einzusetzen, um den Therapiewert einer Geschichte erkennen und gegebenenfalls auch steigern zu können.

Zur Erstellung einer dazu geeigneten Methode werden Kenntnisse aus psychologischen sowie erzähltheoretischen Bereichen der Literaturwissenschaft gesammelt, die zu einem umfassenden Analyse-Leitfaden zusammengetragen werden.

Dabei wird insbesondere Grundwissen zu literarischen Techniken und Wertungen sowie bisherige Forschungsergebnisse der emotionalen Textwirkung und Anwendung in literaturbegleitender Therapie vermittelt.

Der analytische Leitfaden beachtet sowohl leser- als auch textorientierte Punkte; damit werden textinterne wie auch -externe Aspekte kombiniert, die in der bisherigen Forschung zumeist getrennt untersucht wurden.

Abschließend werden exemplarisch drei Geschichten aus Jorge Bucays Roman *Komm, ich erzähl dir eine Geschichte* anhand ihres Therapiewerts und ihrer -steigerung analysiert, die in einem fiktiven bibliotherapeutischen Setting erzählt werden.

Die Ergebnisse dieser Arbeit sollen einen Beitrag zur Literaturanwendung im gesundheitsfördernden Bereich leisten.

Inhaltsverzeichnis

1 Einleitung

Seit der Mensch sprechen kann, erzählt er Geschichten. Die Erzählkunst ist eines der ältesten Handwerke der Welt, die mit dem Begriff "Storytelling" einen modernen Ausdruck in Zeiten des Anglizismus erhielt, aber doch noch genau dieselbe Aufgabe erfüllt wie schon vor tausenden von Jahren; Storytelling ist die Kunst, durch Geschichten Informationen zu vermittelt. Geschichten dienen nicht nur SchriftsterllerInnen, ihren Lebensunterhalt zu verdienen: Storytelling findet sich im Wissensmanagement, bei Marketing und PR-Maßnahmen, im Journalismus, bei der Bildung von Kindern und Erwachsenen und auch in Therapieformen.

Gerade in der Bibliotherapie spielen Geschichten eine Rolle – geht es hier doch um die heilende Wirkung der Worte. Per definitionem versteht man unter Bibliotherapie die rezeptive Auseinandersetzung mit Texten. (Gerk 2015, S. 91)

Die Wirksamkeit bibliotherapeutischer Maßnahmen kennt man oft aus eigener Erfahrung, zum Beispiel aus der Kindheit: das abendliche Vorlesen von Geschichten vor dem Zubettgehen verhinderte vielleicht so manche Einschlafstörung.

Das klinische Wörterbuch *Pschyrembel* definiert Bibliotherapie als Form der Psychotherapie, bei der der Patient durch die Lektüre einer gezielten Auswahl geeigneter Literatur darin unterstützt werden soll, seine Probleme zu verbalisieren, klarer zu reflektieren und eventuell die Begrifflichkeit des Therapeuten besser zu verstehen. (vgl. ebd.)

Diese Arbeit beschäftigt sich mit Funktion und Wirkungsweise des Storytellings und will ihre (ideale) Anwendung für bibliotherapeutische Zwecke untersuchen. Als Beispiel einer solchen Anwendung sollen ausgewählte Erzählungen aus Jorge Bucays Roman *Komm, ich erzähl dir eine Geschichte* analysiert werden. Hier hilft ein Psychoanalytiker seinem Patienten durch das Vermitteln von Geschichten: es kommen Sagen der klassischen Antike, Märchen, Legenden und asiatische Zen-Weisheiten zum Einsatz. Gerade diese Vielfältigkeit eignet sich für eine wissenschaftliche Untersuchung von Storytelling in bibliotherapeutischer Funktion.

Diese Arbeit interessiert sich weiterhin dafür, ob und inwieweit sich der therapeutische Effekt der Bibliotherapie durch den gezielten Einsatz von Storytelling steigern lässt.

Es wird die Annahme vorausgesetzt, dass Bibliotherapie keinen Anspruch auf *spannende* Geschichten hat; die Priorität dieser Disziplin sei in erster Linie die rezeptive Auseinandersetzung mit Texten. (ebd.)

Des Weiteren wird angenommen, dass Storytelling keinen Anspruch auf Heilung hat; es mag als Nebeneffekt erwünscht sein, in erster Linie jedoch ist es nur eine erzählerische Methode, keine eigene Disziplin, die Informationen vermitteln möchte. Kernziel sei es, Geschichten zu erzählen, deren Inhalte der Rezipient verstehen und speichern kann. (vgl. Kleine Wieskamp 2016, S. 8)

Verbindet man nun Storytelling mit der Bibliotherapie, so lassen sich spannende Geschichten mit hohem therapeutischen Nutzen verbinden.
Diese Arbeit untersucht, wie diese effiziente Anwendung gelingen kann – und ob sie überhaupt gelingen kann.

Sind die Methoden im theoretischen Teil der Arbeit eruiert worden, sollen sie im praktischen Teil an Jorge Bucay Geschichten angewendet werden. Hier möchte ich vor allem analysieren, inwieweit Bucay das bibliotherapeutische Storytelling gelingt und ob es möglich ist, den „Therapiewert" seiner Geschichten zu erhöhen.

2 Untersuchungsgegenstand

2.1. Das Erzählen

„Humans are not ideally set up to understand logic.
They are ideally set up to understand stories."

Roger C. Shank, 1978

Die Fähigkeit des Menschen, erzählen zu können, ist eines der zentralen Elemente menschlicher Kultur.

Für den Philosophen Wilhelm Schnapp führt der Mensch eine durch und durch narrative Existenz, da er in allen seinen Handlungs- und Lebensvollzügen „in Geschichten verstrickt" ist;

Geschichten seien das grundlegende Medium, in dem uns überhaupt Sinnenhaftes zugänglich ist. (Schneider 2008, S. 58)

Wenn jemand jemanden eine Geschichte erzählt, ist es vor allem eine sprachliche Handlung.

Unterteilt man sie unter den Aspekten der Pragmatik, Semantik und Syntax der Sprache, so sind folgende Dimensionen trennbar und zu unterscheiden: (Martínez 2015, S. 1)

1. *Erzählen als Sprachhandlung*
2. *Erzählinhalt innerhalb der Erzählhandlung*
3. *Erzählweise innerhalb der Erzählhandlung*

Das Erzählen als Sprachhandlung findet zwischen einem Erzähler und einem oder mehreren Zuhörern statt; sie kann mündlich oder schriftlich sein, wie die Beziehung von Autor und Leser.

Die **Absicht** hinter der Erzählung kann unterschiedlich sein: „man kann erzählend informieren, unterhalten oder belehren, moralisch unterweisen, geistlich stärken oder politisch indoktrinieren, Erzählgemeinschaften bilden, individuelle oder kollektive Identitäten stiften usw." (ebd.)

Wird jemanden etwas erzählt, so konzentriert der Zuhörer sich auf das Mitgeteilte; er achtet auf mögliche

Figuren, Schauplätzen und Ereignisse, die eine *Geschichte* bilden.

Der Inhalt stellt so die zweite Dimension einer Erzählhandlung dar.

Letztlich macht es ebenso viel aus, *wie* eine Geschichte erzählt wird.

Zur Gestaltungsweise einer Erzählung gehören rhetorische und stilistische Mittel, „aber auch die verschiedenen Gestaltungsmöglichkeiten der Erzählstimme, etwa der aus dem Text verschließbare ‚Standort' des Erzählers (der sich innerhalb oder außerhalb seiner eigenen Geschichte befinden kann), das Verhältnis zwischen dem Zeitpunkt des Erzählens und dem Zeitpunkt der erzählten Handlung oder auch die Perspektive der Darstellung". (ebd.)

Seit Menschen existieren, erzählen sie Geschichten; es ist ihre Methode, gesammeltes Wissen an nachfolgende Generationen zu überliefern.

Diese mitgeteilten Geschichten machen ihr kulturelles Gedächtnis greifbar.

Für Welzer (2005, S. 8) steht in diesem Rahmen fest, dass das Bewusstsein und autobiografische Gedächtnis die entscheidenden Bindungen menschlichen Lebens sind und diese sich in der Kommunikation zeigen.

Dem stimmen auch Untersuchungen aus der Psychologie zu, die zwei Arten von Gedächtnis unterscheidet:

Das **analytischen Gedächtnis**, das plant und argumentiert sowie

das **biografische** oder auch **narrative Gedächtnis**, das menschliche Erlebnisse zu einer Geschichte zusammenfügt und emotional einordnet. (vgl. Adamczyk 2015, S. 15)

Bezeichnenderweise werden die gespeicherten Handlungsmuster im narrativen Gedächtnis auch Erzählmuster genannt – sie bestimmen die Wahrnehmung unsere Realität und zeigen damit die integrative Kraft, die dem Erzählen innewohnt. (Adamczyk 2015, S. 16)

Interessant ist hier, dass jeder Mensch zwar individuelle Erzählmuster abspeichert, einige davon aber denen ihrer Mitmenschen ähneln oder gar gleichen.

Der Psychologe Carl Gustav Jung sprach hier von archetypischen Erzählmustern und einem gemeinsamen Unterbewusstsein.

Dem Psychotherapeuten Eric Berne wiederum fiel bei der Beobachtung menschlicher Interaktionen auf, dass einige in bestimmten Erzählmustern wie gefangen wirkten und ihre Muster ständig wiederholten (z.B. Täter-Opfer-Rolle). (vgl. ebd.)

Unter Berücksichtigung dieses Wissens behauptet Adam Gregoryz, der der Kunst des Erzählens ein ganzes Buch widmet, dass eine gute Erzählung nicht nur Erfahrungen vermittelt und Sinn stiftet, sondern auch auf starke Reize setzt und damit eine emotionale Reaktion auslöst. (vgl. Adamczyk, S. 21)

Bei der Innsbrucker Tagung 2008 zum Thema „Storytelling – Reflections in the Age of Digitalization" erklärte Professor Ingo Schneider, dass – trotz einer anhaltenden These seit der Gebrüder Grimm über den vermeintlichen Niedergang des Erzählens – das Erzählen immer und überall stets präsent sei und ebenso in Fachkreisen ein steigendes wissenschaftliches Interesse am Kulturphänomen Erzählen im Allgemeinen sowie eine Entwicklung von Erzähltheorien zu beobachten sei. (Schneider 2008, S. 56f.) Dementsprechend schwer zu überblicken sind die Einzelresultate der vielen Wissenschaftszweige, die zur Erforschung von Erzählkulturen im Kontext von Alltag, Wissenschaft, Kunst, Politik und Wirtschaft beitragen.

Doch trotz unterschiedlicher Ansätze spielt immer wieder die Frage nach den Bedingungen und Möglichkeiten des Erzählens eine zentrale Rolle.

2.2. Die Wirkung des Lesens

„In jeder Altersgruppe, jeder Bildungsgruppe, jeder Gruppe, die wir untersuchen, finden wir diejenigen, die Bücher lesen, heiterer als diejenigen, die keine Bücher lesen… Wir können nicht zweifeln: Bücherlesen bewirkt etwas, was Menschen wohltut."

Elisabeth Noelle-Neumann
(ehemalige Leiterin des Allensbacher Instituts für Demoskopie)
zur Eröffnung der Frankfurter Buchmesse, 1974

Karl Marx veröffentlichte 1867 den ersten Band seines Werkes *Das Kapital*, nicht wissend, wie seine Leser auf sein Werk reagieren würden.

Auch die französische Schriftstellerin Sidonie-Gabrielle Claudine Colette ahnte vermutlich nicht, welche Auswirkungen ihr im Jahr 1900 erschienener Roman *Claudine à l'ecole*[1] haben könnte – vor allem Frauen nahmen die Geschichte um die junge Protagonistin Claudine begeistert auf und trugen Kleider und Frisuren nach ihrem Vorbild.

Im Gegensatz zu Colette erlebte Karl Marx die Auswirkungen seines Buches nicht mehr:

1917 wird Russlands monarchische Regierung unter Führung von Wladimir Iljitsch Lenin gestürzt – dieser hatte in seinen Jugendjahren *Das Kapital* gelesen und daraus seine revolutionären Konzepte entwickelt. (vgl. Demmelhuber 2017)

---

[1] anfangs noch unter dem Künstlernamen ihres Ehemannes „Willy" veröffentlicht

Natürlich führt nicht jede Textrezeption zu einem gesellschaftlichen Trend oder einer Revolution.

Doch wie wirken (literarische) Texte auf den Lesenden?

Lesen ist erst einmal ein komplexer kognitiver Interaktionsprozess, der zwischen dem Text und der Kognitionsstruktur des Rezipienten entsteht.

Die Interaktion hängt zum einen vom Vorwissen und der Erwartungshaltung des Lesenden, zum anderen von der Beschaffenheit des Textes ab.

Aus diesen Komponenten bildet der Rezipient den Sinn eines Textes. (vgl. Werder et al 2001, S. 99)

In der Forschung wurde bei Untersuchungen solcher Interaktionsprozesse der Schwerpunkt mal auf die Leser-, mal auf die Textseite gelegt.

Während die leserorientierte Forschung den Einfluss von Vorwissen, Weltwissen, Erwartungen und Zielsetzungen auf die Textverarbeitung legt, konzentriert sich die textorientierte Forschung auf die Identifizierung verarbeitungsrelevanter Textmerkmale und deren Einfluss auf das Verstehen. (Franzmann 2001, S. 162f.)

Bei der Textwirkungsforschung werden literarische und pragmatische Texte unterschiedlich untersucht; bei Informationstexten sind die gewünschten Ziele vor allem der Behaltenserfolg sowie die Einstellungsänderung, daher wird verstärkt nach diesen Kriterien geforscht. (vgl. ebd., S. 173)

Die Untersuchung literarischer Textwirkung erweist sich als etwas schwieriger, da die Wirkungsmöglichkeiten unbegrenzt scheinen; die Folge davon ist ein Ungleichgewicht zwischen den theoretischen Ansätzen und empirischen Belegen; alle denkbaren Wirkung sind bereits diskutiert worden, doch empirisch wenig geprüft. (vgl. Franzmann 2001, S. 177)

Schmidt fasste alle bisher gesammelten Lektürewirkungen zusammen und unterteilte sie in drei Grundfunktionen, die literarische Texte aufweisen können: (vgl. ebd.)

- die kognitiv-reflexive Funktion
- die moralisch-soziale Funktion
- die hedonistisch-individuelle Funktion

Gerade im kognitiven, emotionalen Bereich gibt es gesicherte Ergebnisse einzelner Texte in Bezug auf negative wie auch positive Wirkung: so konnte 1986 von Selg nachgewiesen werden, dass die Darstellung von Täteraggression in pornographischen Texten auch aggressives Verhalten in sozialen Beziehung des Rezipienten bewirkt.

1989 untersuchte Bilsky wiederum die Wirkung bestimmter Kurzgeschichten mit moralischen Dilemmata bei Jugendlichen – die Studie ergab, dass die Rezipienten „zu moralischer Sensibilierung und damit Weiterentwicklung des moralischen Urteils in Richtung auf prosoziale Motivation (Altruismus)" (ebd., S. 178) gelangten.

So eine pädagogische Funktionalisierung literarischer Texte und ihrer Wirkungspotenziale findet sich noch stärker im therapeutischen Rahmen, der Bibliotherapie[2]. (s. Kapitel 3.2.1.)

---

[2] Man muss dazu jedoch sagen, dass in der Bibliotherapie meist Rezeptions- und Schreibvorgänge miteinander kombiniert werden. Diese Arbeit beschäftigt sich im Rahmen der Textwirkung isoliert mit dem Rezeptionsprozess.

3 Forschungsstand

3.1.1 Storytelling

„The narrative impulse is always with us;
we couldn't imagine ourselves
through a day without it."

Robert Coover, 1986

Was ist eigentlich *Storytelling*?

Oberflächlich betrachtet erscheint die Antwort einfach. *Storytelling* aus dem Englischen übersetzt bedeutet *Geschichten erzählen*.

Der Professor Dr. Werner T. Fuchs wie auch der Theaterregisseur Gregor Adamczyk, die ausführlich zu Storytelling publizierten, fügten dem Begriff *die Kunst* des Geschichtenerzählens (vgl. Fuchs 2013, S.14; Adamczyk 2015, S. 23f.) hinzu, was der wörtlichen Übersetzung mehr Bedeutungsspielraum schafft.

Das Geschichtenerzählen ist eine zutiefst menschliche Eigenschaft und gehört so zum Alltag jedes Einzelnen – immer öfter fällt der Begriff des Erzählens oder des *Storytellings* auch im beruflichen oder wissenschaftlichen Rahmen.

Der Literaturwissenschaftler Dr. Matías Martínez beobachtet eine Hochkonjunktur des Erzählens, die sich über den Rand des literaturwissenschaftlichen Zweiges ausbreitet: auch Fachbereiche wie Psychologie, Pädagogik, Medizin und Philosophie machen vom *Storytelling* Gebrauch.

Ebenso verwenden die Bereiche Politik, Wirtschaft und Rechtswesen das Narrative. (vgl. Martínez 2011, S. VII)

Obwohl *Storytelling* mittlerweile auch in der Wissenschaft angekommen ist, ist es besonders spannend, dass der Begriff weder ein wissenschaftlicher Terminus, noch einheitlich definiert ist. (Schach 2016, S.11)

Auch Klebl (2008, S. 148) beobachtet die Verwendung von *Storytelling* in unterschiedlichen Anwendungsgebieten, je nach Bereich werde das Geschichtenerzählen als Methode oder Verfahren funktionalisiert.

Ziel dieser Funktionalisierung sei es, „durch koordiniertes Erzählen in der Gruppe ein gemeinsames Verständnis zu entwickeln (…), um so in der Gruppe vorhandenes, nicht formuliertes Wissen explizit zu machen." (Klebl/Lukosch 2008, S.148f.)

So sei die Spannweite der Anwendung des Storytellings groß und vielseitig einsetzbar: im Bereich des Wissensmanagements sowie der Aus- und Weiterbildung werde es als Methode zur Gewinnung von Wissen eingesetzt.

In der Elementar- und Primärpädagogik und Fremdsprachendidaktik wiederum diene Storytelling als Methode zum Erwerb kommunikativer Kompetenzen. Eine Funktionalisierung des Geschichtenerzählens im Bereich der Erwachsenenbildung bzw. der sozialen Arbeit schließe hier unmittelbar an. (vgl. ebd.)

Laut Schach (2016, S.11) werde im Managementwesen *Storytelling*, „bewusst eingesetzt, um bestimmte kommunikative Unternehmensziele zu erreichen."

Er zitiert dabei Ettl-Huber, der dabei von den zu berücksichtigen Faktoren „Zielgerichtetheit, Zielgruppenorientierung und Inszenierung im weitesten Sinne" (ebd.) spricht, womit es hier um das Erzählen von Geschichten geht, mit „dem Ziel, andere zu überzeugen, zu bewegen oder für eine Sache zu gewinnen." (Pyczak 2018, S. 14)

Bei manchen Definitionsversuchen wird die Betrachtung einer narrativen **Kommunikations**technik oder -methode sehr deutlich.

Kramper (2017, S.41) sieht im *Storytelling* „klassische Elemente der ‚story' mit der gezielten erzählerischen Ansprache, dem ‚telling'".

Hesselink (2013) beschreibt es als „the art to tell stories in order to engage an audience. The storyteller conveys a message, information and knowledge, in an entertaining way. Literary technique and **non verbal language** are his tools."

Kleine Wieskamp (2016) versucht, eine besonders umfassende Definition abzuliefern.

So ist für sie Storytelling in erster Linie eine **Erzähl**methode, die „das Erzählen von Erfahrungen, Erlebnissen, Überlieferungen, Ideen und Visionen als Grundlage menschlicher Kommunikation [versteht], in der Wissen, Geschichte und Regeln gesellschaftlichen Zusammenhalts – wie Religion, Moral, Rechtsprechung – vermittelt und weitergereicht werden. (…) So dient der bewusste Einsatz des storytellings, also des ‚Geschichtenerzählens', dazu, nicht nur Wissen, sondern auch Werte, Moral und ein Rechtsempfinden weiterzugeben, Lebenserfahrung zu vermitteln, Problemlösungen aufzuzeigen, Denkprozesse einzuleiten, Rollenerwartungen zu definieren, zum Handeln zu motivieren und selbstverständlich auch zu unterhalten." (Kleine Wieskamp 2016, S.7)

Was also ist nun *Storytelling*?

Allen aufgeführten Definitionen gleicht, dass *Storytelling* seinen Kern im „Geschichten erzählen" hat.

Je nachdem, in welchem Fachbereich es angewendet wird, findet eine Funktionalisierung statt: die Art und Weise des Geschichtenerzählens wird an das gewünschte Ziel angepasst.

Eine einheitliche *Methode* des *Storytellings* kann es daher nicht geben.[3]

3.1.2 Erzähltheorie

> *„,The King died and then the Queen died', is a story.*
> *,The King died and then the Queen died of grief' is a plot. "*
>
> E.M. Forster, 1927

Die Erzähltheorie ist die Wissenschaft des Erzählens. (Fludernik 2006, S. 17) Seit den sechziger Jahren ist sie eine eigenständige Theorie im Rahmen der internationalen Literaturwissenschaft und profitiert bei ihrer fortlaufenden Weiterentwicklung von den Erkenntnissen der Soziolinguistik, Kognitionspsychologie, Anthropologie sowie Geschichtswissenschaft. (Martínez/Scheffel 2016, S.7)

Sie entwickelte sich aus vielen unterschiedlichen Theorien verschiedener Nationalphilologien heraus, sie ist also ein offenes, interdisziplinäres Feld, das stetig im Wandel ist. (Lahn/Meister 2013, S.25)

Der Strukturalist Tzvetan Todorov war der Auffassung, dass sich diese ,Wissenschaft des Erzählens' ausschließlich mit der formalen Analyse von Erzähltexten befassen sollte und führte unter dieser Definition 1969 den Begriff der „Narratologie" ein. (Lahn/Meister 2013, S. X)

Fludernik (2006, S. 17) definiert Narratologie als „Untersuchung der Erzählung als Gattung mit dem Ziel, ihre typischen Konstanten, Variabeln und Kombinationen zu beschreiben und innerhalb von theoretischen Modellen (Typologien) die Zusammenhänge zwischen den Eigenschaften narrativer Texte zu klären."

Fludernik (2006) deutet so auf die zahlreichen existierenden Termini und Systeme der Textanalyse an, die in der Erzähltheorie herrschen; hinzu kommen die Verwendung alternativer Methoden oder Begriffe, die eine Überschaubarkeit schwer machen.

---

[3] die Definition dieser Arbeit für bibliotherapeutisches *Storytelling* befindet sich in Kapitel 6.1

Ist die ‚Wissenschaft des Erzählens' nun die Erzähltheorie oder die Narratologie?

Oftmals werden die beiden Ausdrücken synonym verwendet, streng genommen ist die Narratologie historisch gesehen jedoch die Nachfolgerin der Erzähltheorie, die sich aus ihr heraus entwickelte. (vgl. Lahn/Meister 2013, S. 36)

Im deutschsprachigen Raum wird öfter der Begriff der Erzähltheorie verwendet, der international anerkannte Terminus ist jedoch die Narratologie (eng. *Narratology*, frz. *narratologie*). (Fludernik 2006, S. 17)

Es fehlt nicht nur eine einheitliche Begrifflichkeit in der Erzähltheorie, auch bei ihrem historischen Umriss fallen – je nach Nationalphilologie – andere Autoren und Werke.

Einigkeit herrscht jedoch über diverse wichtige Schriften, anhand derer ich einen groben Umriss der erzähltheoretischen Ursprünge geben will:

Als erster grundlegender Text der Erzähltheorie gilt Aristoteles' kurze Abhandlung der *Poetik* (ca. 335 v. Chr.), in der er die erste „inhaltlich begründete Abgrenzung literarischer Texte gegenüber der Naturforschung und Geschichtsschreibung [formulierte]" und zudem „die Fiktionalität des literarischen Kunstwerks [legitimierte]." (Lahn/Meister 2013, S. 26)

Noch vor Aristoteles machte sich der Philosoph Platon in seinem Buch der *Politea* (ca. 370 v. Chr.) Gedanken zur Dichtkunst.

In seiner Schrift bestimmte er das Erzählen durch zwei Redeformen (*mimesis*, die nachgeahmte Figurenrede des Dichters sowie *diegesis*, die Dichterrede) und unterschied erstmals in literarische Gattungen (Gedicht, Komödie/Tragödie, Epos).

Gerade die Anwendung dieser Methode beeinflusste den Großteil der modernen Erzähltheorie. (vgl. Lahn/Meister 2013, S. 27)

Im Zeitalter der Moderne beeinflusste Christian Friedrich von Blanckenburgs 1774 erschienenes Werk *Versuch über den Roman* die Roman- und Novellentheorie, 1883 erschien das Essay „Der Ich-Roman" von Friedrich Spielhagen, dessen Überlegungen einen Einfluss auf die Perspektive beziehungsweise **Fokalisierung** der heutigen Erzähltheorie ausübte; in Reaktion auf Spielhagens Theorien beschäftigte sich Käte Friedemann in ihrem Text *Die Rolle des Erzählers in der Epik* (1910) mit der **Erzählinstanz**, ein Konzept, das bis heute noch Bestandteil der Erzähltheorie ist. (vgl. ebd., S.30)

Anfang des 20. Jahrhunderts prägte der russische Formalist Viktor Šklovskij durch seinem Aufsatz *Kunst als Verfahren* (1916/1917) neben dem Konzept der Verfremdung weitere Analysekategorien wie die **Unterscheidung** dargestellter beziehungsweise

erzählter Welt (*fabula/Geschichte*) und der Art und Weise der Darstellung beziehungsweise **Erzählung** (*sujet/Diskurs*), eine Unterscheidung, die fast alle Erzähltheoretiker mit anderen Begrifflichkeiten übernommen und weiterentwickelt haben (*story vs. discourse* im Englischen, *historie vs. discours* im Französischen). (vgl. ebd., S.32)

Besonders oft zitiert wird auch die Bedeutung von Vladimir Propps Abhandlung *Morphologie des Märchens* (1928) für die Erzähltheorie, in der er eine **erste systematische Untersuchung einer narrativen Gattung** vornimmt. (Friedmann 2009, S. 29)

Strukturalisten griffen diesen Ansatz später auf mit dem Versuch, Geschichten allgemein auf eine begrenzte Anzahl von Grundelementen und ihren Kombinationsmöglichkeiten zurückzuführen. (Lahm/Meister 2013, S.32)

Aus dem anglo-amerikanischen Raum prägte Henry James den Begriff der **szenischen Methode**, bei der die Geschichte aus dem **Blickwinkel** (*point of* view) einer einzigen Figur erzählt wird.

Percy Lubbock wiederum etablierte das Begriffspaar *showing vs. telling*; für Lubbock galt eine Geschichte als gelungen, wenn sie gezeigt (*showing*) und nicht erzählt (*telling*) wird. (vgl. ebd., S.31f.)

Weitere wichtige Namen zur **Erzählperspektive** in der Erzähltheorie sind Boris A. Uspenskij, der in seinem semiotischen Modell der Perspektivebenen (ca. 1970) vier Ebenen der Perspektive unterscheidet (raum-zeitliche und psychologische Ebene, phraseologische Ebene des Stils sowie ideologische Ebene der Wertung) sowie Jean Pouillons (1916-2002) und Franz K. Stanzel (*1923).

Norman Friedman sieht acht Möglichkeiten der Perspektivierung, bei denen er den Grad des Erzählerwissens mit dem Standpunkt des Wahrnehmungssubjekt kombiniert. Er unterteilt in Formen der Allwissenheit (*telling*) und szenischer Darstellung (*showing*).

Pouillons Darstellungsmöglichkeiten der Wahrnehmung beinhaltet die Überlegung von drei Beziehungen der *vision* (Sicht), in denen der Erzähler zu den Figuren stehen kann – die Strukturalisten Tzvetan Todorov und Gérard Genette übernahmen dieses Modell. (vgl. ebd., S.33)

Franz K. Stanzel entfaltete in mehreren Werken seit 1955 seine Theorie der **Erzählsituationen**, die er in die auktoriale, personale sowie Ich-Erzählsituation unterteilte. Diese fasste er unter dem Begriff des *Modells des sogenannten Typenkreises* zusammen, das jedoch auch immer wieder aufkehrender Kritik entgegenstand: die größten Kritikpunkte sind zum einem dem Modell innehabenden komplexen Kategorien, die mehrere Merkmale des Erzählens vereinen und nicht differenziert werden, zum anderen die Überlappung der Konzepte, wodurch distinktive Phänomene nicht auseinander gehalten werden können. (vgl. ebd., S.34)

Ein ebenso wichtiger Eckfeiler in der Erzähltheorie ist die Unterscheidung zwischen **erzählter Zeit und Erzählzeit**, die auf Günther Müller zurückgeht (siehe *Morphologische Poetik*, 1968). (vgl. ebd.)

Die erzählte Zeit stellt die Zeitspanne dar, über die sich die sich die erzählte Zeit der Geschichte erstreckt (wird an den gemachten Angaben in der Erzählung ausgemacht), die Erzählzeit wiederum ist die Zeit, die es zum Vorlesen der Geschichte braucht (üblicherweise in Seitenzahlen angegeben).

Müller untersuchte seit den 1940er Jahren das Verhältnis dieser Zeiten zueinander und machte dabei auf verschiedene Grade der Zeitraffung sowie -dehnung aufmerksam. (vgl. ebd.)

Eberhard Lämmert griff in seinem 1955 erschienen Werk *Bauformen des Erzählens* Müllers Ansatz vertiefend auf und systematisierte die Zeitgestaltung auf eine erzähltheoretische Konzeption. (vgl. ebd.)

Lämmert benennt zur Zeitraffung und -dehnung zusätzliche Grenzfälle wie die **Aussparung der Zeit** (später von Genette *Ellipse* genannt) sowie **Zeitdeckung**, zudem macht er ebenso wie Müller auf „das Phänomen des Erzählens von sich wiederholenden und andauernden Gegebenheiten sowie auf das des zeitlosen Erzählens aufmerksam (in Genettes Terminologie: iterativ-duratives Erzählen und Pause)." (vgl. ebd., S.35)

Lämmert kombiniert zudem Formen der Zeitgestaltung mit Erzählweisen, die er zum Teil von Lubbock (szenische Darstellung) oder Robert Petsch (z.B. Bericht, Betrachtung, Beschreibung, siehe *Wesen und Formen der Erzählkunst*, 1934) übernimmt und verbindet „jeweils eine Erzählweise mit einem bestimmten Grad der Zeitraffung". (vgl. ebd., S.36)

Lämmerts Modell fiel mit seinen Begriffen und Unterscheidungen überaus komplex aus.

Die spätere Erzähltheorie vervollständigte sein **System der Rückwendungen und Vorausdeutungen** und entschlackte seine Verknüpfung der Zeitgestaltung mit bestimmten Erzählweisen. (vgl. ebd.)

1966 sprechen sich die Literaturwissenschaftler Roland Barthes, Tzvetan Todorov, Gérard Genette, Umberto Eco sowie der Filmwissenschaftler Christian Metz für eine

strukturale Erzähltheorie aus. Anhand dieser Grundideen fordert der französische Strukturalist Todorov drei Jahre später in seiner *Grammaire du Décaméron* für die Erzähltheorie eine neue Disziplin, die er *narratologie* nennt. (vgl. ebd., S.37) Der Gedanke der Narratologie orientiert sich dabei an Propps *Morphologie des Märchens* oder Boris V. Tomaševskijs *Theorie der Literatur* (1925), aus der Barthes von **obligatorischen und fakultativen Handlungselementen (Kardinalfunktionen)**, die er **Kerne und Katalysen** nennt. (vgl. ebd.)

Laut Barthes sind Kerne notwendige und vorantreibende Elemente der Handlung, Katalysen dagegen entbehrliche Elemente, die einen Kern näher bestimmen.

Abgesehen vom russischen Formalismus ist die strukturale Linguistik eine ebenso wichtige Bezugstheorie auf die Narratologie, die sich vor allem auf die erschienene Vorlesung *Cours de linguistique générale* des Sprachwissenschaftlers Ferdinand de Saussure bezieht, aber auch auf Ideen von Roman Jakobson und später Lévi Strauss. (vgl. ebd.)

Die Verfechter der strukturalistischen Erzähltheorie erhofften sich eine Objektivität der Literaturwissenschaft, wie sie bereits in der Linguistik erzielt worden war.

Dieser wurde durch einen **ahistorischen Ansatz** erzielt: es werden nicht die historisch jeweils spezifischen Erscheinungsformen erfasst, sondern die abstrakten Merkmale einer synchronen Perspektive, die allen Phänomenen gemeinsam sind. So soll das „all diesen Erscheinungsformen zugrundeliegende **allgemeine System**" (ebd., S. 38) isoliert werden.

Die strukturalistische Erzähltheorie orientiert sich also an der strukturellen Linguistik mit phonologischem Schwerpunkt; sie versucht, „linguistische Kategorien analog auf literarische Phänomene im Allgemeinen und auf narrative Phänomene im Besonderen anzuwenden." (ebd.)

Strukturalistische Erzähltheoretiker fassen zudem **narrative Elemente als Zeichen** auf und konzipieren die Erzähltheorie als Teil der **Semiotik** (ein Zeichen ergibt sich aus der Beziehung zu anderen Zeichen, für die besondere Gesetze existieren).

Claude Bremond versuchte in seiner *Logique du récit* (1973) die Gemeinsamkeit aller möglichen Geschichten zu identifizieren. Er legte den Begriff der **narrativen Sequenz** fest und ordnete ihr die Funktionen *virtualité* (Eröffnung einer möglichen Handlung), *passage à l'acte* (deren Aktualisierung oder Nicht-Aktualisierung) und *achêvement* (Erreichen oder Nicht-Erreichen des Handlungszieles). (vgl. ebd.)

Bremond ergänzt eine **Typologie der narrativen Rollen**, beachtet dabei aber kaum die Logik des Erzählens, sondern konzentriert sich auf die Logik der Geschichte.

Der Strukturalist Gérard Genette konzentrierte sich in seinen Werken *Discours du récit* (1972) und *Nouveau discours du récit* (1983) auf die Analyse der erzählliterarischen Relationen von **Erzähltem** (*histoire*), **Erzählung** (*récit*) und **Erzählen** (*narration*).

Er griff dabei viele Begriffe seiner Vorgänger auf und versuchte eine Systematisierung in zeitliche Relationen und Positionen der Erzählinstanz zu bringen. (vgl. ebd)

Zudem löste er den **Wahrnehmungsmodus** (Aus wessen Perspektive wird erzählt?) von der **Erzählinstanz** (Wer erzählt?) und prägte den Begriff der **Fokalisierung** für die Bestimmung des Wahrnehmungsmodus und die **Stimme** für die Bestimmung der Erzählinstanz. (vgl. ebd.)

Ebenso lässt sich in Genettes Analyse ein **Modell der Redewiedergabe** in Erzählungen finden, das sich an die Unterscheidung von Platons *mimesis* und *diegesis* orientiert. (vgl. ebd.)

Seymour Chatman griff in seiner *Story and Discourse* (1978) Genettes Systematiken auf und bezog den Film mit ein. (vgl. ebd., S. 39)

Zuletzt versuchten sich Erzähltheoretiker wie Wolf Schmid, Michael Scheffel oder Matías Martínez an einer Vereinheitlichung und Präzisierung vorhandener Begriffe und eine umfassende Systematisierung der Gesamttheorie. (Martínez/Scheffel 2016, S. 8)

Wie jedoch jede Theorie entwickelt auch die moderne Erzähltheorie laufend weiter.

3.2.1 Geschichte und Formen der Bibliotherapie

> *„Ein Buch muss die Axt sein*
> *für das gefrorene Meer in uns."*
>
> Franz Kafka

Schon in der Antike gehörten Lesen und Schreiben traditionell zur Diätetik[4].

Die medizinische Lehre befasste sich mit den sechs Bereichen Luft und Licht, Essen und Trinken, Bewegung und Ruhe, Schlafen und Wachen, Ausscheidungen sowie Gefühle.

Lesen und Schreiben wurde dem letzten Bereich zugeordnet. (Jagow 2005, S. 126)

---

[4] In der Antike und im Mittelalter die medizinische Lehre vom gesunden Leben mit den Zielsetzungen der Gesunderhaltung, Krankheitsvorbeugung- und behandlung (vgl. Jagow 2005, S. 126)

Der Philosoph Aristoteles schrieb in seiner *Poetik* sogar von der heilenden Wirkung der Tragödie, die mit der Nachahmung des wirklichen Lebens (*mimesis*) in den Rezipienten einen inneren Reinigungsprozess (*katharsis*) zu erfüllen vermag. (Gerk 2015, S. 29-31)

Die Annahme der heilenden Wirkung von Literatur ist das Grundgerüst der Bibliotherapie (lat. *biblion = Buch; therapeia = zu Diensten sein*).

Von der Belletristik über Ratgebern bis hin zu Aufklärungsbroschüren ist jede Buchform erlaubt, von der man sich einen Gewinn für den Patienten verspricht.

Heimes (2017, S. 13-19) führt in ihrem Buch *Lesen macht gesund* (2017) die verschiedenen Formen der Bibliotherapie an, die auch hier genauer veranschaulicht werden sollen.

Sofern fiktive Texte zur Heilung verwendet werden sollen, spricht man von der *inspirierenden* Bibliotherapie.

Nicht-fiktive Texte werden der *informativen* oder auch *instruktiven* Bibliotherapie zugeordnet.

Einige Autoren sehen es als Voraussetzung der Bibliotherapie an, dass diese begleitend mit einem Therapeuten oder zumindest begleitend während einer Psychotherapie angewendet wird, andernfalls unterscheide es sich nicht von einem Lesen als Zeitvertreib. (ebd., S. 16)

Wenn man diese Voraussetzung jedoch nicht setzt, wird diese Form der Bibliotherapie auch die *selbstverantwortete* Bibliotherapie genannt.

Diese Formen gehören zu den therapeutisch-orientierten Therapieformen der Bibliotherapie.

Etwas anders verhält es sich mit der *didaktischen* Bibliotherapie, deren Hauptaugenmerk die Informationsvermittlung und das kognitive Lernen ist.

Der pädagogische Aspekt der Bibliotherapie betrachtet das Lesen als dynamische Interaktion zwischen Leserpersönlichkeit und Literatur und erfreut sich an der Persönlichkeits- und Entwicklungsförderung des Lesenden. (vgl. ebd., S16)

Untersuchungen zeigen, dass seit Anwendung der didaktischen Bibliotherapie Rückgänge der Therapieabbrüche zu beobachten sind und weiter, dass Bibliotherapie gerade als therapiebegleitende Maßnahme besonders erfolgreich ist und vor allem erfolgreicher, als die reine Selbsthilfe oder Psychotherapie als isolierte Anwendung. (ebd., S.17)

Zuletzt sei am Rande die intermediale Form der Bibliotherapie erwähnt, bei der auch andere Medien (beispielsweise Audiodateien) zur heilenden Leselektüre hinzugezogen werden.

Die Leselektüre im Rahmen der Bibliotherapie kann in verschiedenen Formen „konsumiert" werden: so kann man sowohl angeleitet als auch in Selbstlektüre heilend lesen (wobei hier noch einmal angemerkt sei, dass nicht alle Autoren die Selbstlektüre als Bibliotherapie ansehen), als auch in Gruppen oder einzeln. Ob einzeln oder in Gruppen gelesen wird: gerade der kommunikative Austausch nach der Lektüre mit Anderen fördert einen Diskurs, in dem „sowohl eine intellektuelle Auseinandersetzung über das Gelesene und Erlebte möglich ist als auch Fragen nach dem Sinn und zukünftigen Wegen gestellt werden können". (ebd., S.15)

Wie schon zu Beginn des Kapitels angeführt, ist die Geschichte der Bibliotherapie eine weit zurückliegende.

Mit den ersten schriftlichen Geschichten begann vermutlich auch die Geschichte der Bibliotherapie.

Aus Ägypten existiert ein Papyrus aus der Zeit zwischen 2260 bis 2040 vor Christus, in dem ein Suizidgefährdeter in einer Art schriftlichem Zwiegespräch seinen Selbstmord abwägt und sich schließlich doch für das Leben entscheidet. (Niedermayer 2006, S. 10) Schamanen und Medizinmänner versprachen in der Frühzeit durch festgelegte Sprüche und Formeln Heilung und im 3. Jahrhundert vor Christus stand *Heilstätte der Seele* vor den Toren der Alexandria-Bibliothek. (vgl. ebd.)

Der Kirchenlehrer Augustinus spricht 397 bis 401 nach Christus von der seelischen Gesundung durch Lektüre. (Heimes 2017, S. 20)

1198 empfiehlt der Arzt Maimondes in seiner *Regimes Sanitas* durch Erzählungen die vitalen Kräfte von Patienten anzuregen. 1272 hat das Al-Mansur Spital in Kairo den Koran zur Heilungsförderung in seinen Räumen liegen und 1705 veröffentlicht der Theologe Götze seine *Krankenbibliothek.* (Jagow 2005, S. 126)

Mit dem 19. Jahrhundert gerät der Gedanke der Diätetik und somit auch der Gesundheitsbewahrung des Lesens in den Hintergrund; Heilung wird nun überwiegend von der somatischen Therapie erwartet und die Diätetik auf Diät, auf das Körperliche reduziert. (vgl. ebd.)

Trotzdem lassen sich in der Zeit dieses kunsttherapeutischen Traditionsbruchs weiterhin vereinzelnd bibliotherapeutische Umsetzungen finden – zudem schwingen neue Initiativen bereits im 20. Jahrhundert erneut auf.

Während der Aufklärung wurden im Rahmen der Humanisierung in Frankreich, Italien und England religiöse Texte als Behandlungsergänzung den Patienten und Gefangenen zur Verfügung gestellt.

So hatten zu dieser Zeit viele Gefängnisse und psychiatrische Anstalten Bibliotheken für genau diesen Einsatz. (vgl. Heimes 2017, S.21)

1853 setzte der Leiter einer Anstalt, Minzen Galt II, durch, dass für Patienten individuelle Buchanschaffungen auf Wunsch erfolgen konnten, und begründete diese Durchführung mit der Tatsache, dass auch Medizin individuell für Patienten bestellt wurde;

1916 schließlich prägte Samuel McChord Crothers schließlich den Begriff der „Bibliotherapie". (Jagow 2005, S. 126)

Schon während des 1. Weltkrieges gab es viele Spitalbüchereien und um 1930 setzten die Brüder Meiningen den Einsatz von Büchern in den Kliniken durch. (Heimes 2017, S.21)

Bis 1930 wurde auch in den Vereinigten Staaten Bibliotherapie angewendet, jedoch nur für Erwachsene.

Sechs Jahre später empfahlen Bradley und Bosquet, auch Kinder in die Behandlung der Bibliotherapie mit einzuschließen. (vgl. ebd., S. 22)

1949 wurde durch eine Untersuchung der Wirkung der Bibliotherapie von Shrodes der Bekanntheitsgrad in den USA, England und im skandinavischen Raum deutlich erhöht.(Niedermayer 2006, S. 12)

Schließlich erreichte 1958 die Bibliotherapie auch langsam den deutschsprachigen Raum; seit 1970 wird sie hier offiziell eingesetzt, jedoch nicht in dem Ausmaß wie im anglo-amerikanischen Raum zu beobachten ist (seit 1990 wird heilsame Literatur in allen sozialen Berufen in den USA angewendet, in England verschreiben Ärzte auf Rezept Bücher). (Heimes 2017, S. 23)

1984 gründeten in Deutschland unter anderem Ilse Orth und Hilarion Petzold die Gesellschaft für Poesie- und Bibliotherapie, die zur weiteren Entwicklung der bibliotherapeutischen Therapie beiträgt. (vgl. Niedermayer 2006, S. 12)

3.2.2 Lese- und Leserpsychologie

„Wer? Liest was? Wieviel und wie?

Wann und wo? Warum? Und mit welcher Wirkung?

Wenn diese Fragen (…) einwandfrei beantwortet würden,

wüssten wir eine Menge über

das Leseverhalten der Bevölkerung. "

Robert Polt in *Freude am Lesen,* 1986

Die fiktionale Welt literarischer Texte ist gefüllt mit handelnden Figuren, die ihre Gefühle und Gedanken ausdrücken – wer sie psychologisch versteht, hat mehr von der Lektüre, dessen ist sich Peter von Matt 1972 in seiner *Einführung in die Literaturwissenschaft und Psychoanalyse* sicher. (Allkemper/Eke 2010, S.179f.)

Unter Einfluss des Psychoanalytikers Siegmund Freud entsteht Anfang des 20. Jahrhunderts die psychoanalytische Literaturwissenschaft, die sich sowohl mit der psychischen Textproduktion eines Autoren auseinandersetzt als auch mit der psychologischen Analyse literarischer Figuren. (Klarer 2011, S. 27f.)

Freud entwickelte schon früh ein wirkungsästhetisches Modell, das – beeinflusst von den damals repressiven gesellschaftlichen Umständen – sich auf die befreiende Wirkung literarischer Texte konzentrierte. Er ging davon aus, dass literarische Texte mittels ihrer Ästhetik in dem Leser eine „Vorlust" erschaffen und ihn dazu verlocken, sich mit ihrer Textarbeit zu beschäftigen; anschließend löst der Text – vor allem durch Witz – vorherrschende Spannungen im Leser auf und ermöglicht ihm dadurch, seine Fantasie schamfrei auszuleben. (Allkemper/Eke 2010, S. 457)

Neuere literaturpsychologische Forschungen griffen seine Gedankengänge zur literarischen Form und Struktur und deren Wirkungen auf und entwickelten weiterführenden Modelle mit selbstpsychologischen und ichpsychologischen Ansätzen, die im Gegensatz zu den triebpsychologischen Überlegungen Freuds stehen. (vgl. ebd., S.460f.)

Die psychoanalytische Literaturwissenschaft entwickelte sich im Laufe des Jahrhunderts unter Einfluss des Analytikers Jacques Lacan weiter und ebnete in den sechziger Jahren den Weg für leserorientierte Strömungen wie der Rezeptionsästhetik, die sich mit der Aufnahme eines Textes durch den Leser und damit entfernt mit psychologischen Phänomenen beschäftigt. (vgl. Klarer 2011, S.28)

Während das lesetheoretische Rezeptionskonzept vor den sechziger Jahren noch sehr passiv[5] war, wurde fortan in psychologischen und psychoanalytischen Lesetheorien von einem aktiven Konstruktionsprozess ausgegangen. (Pfeiffer 2018, S. 456)

In diesem neuen Ansatz entsteht durch die Interaktion zwischen Text und Leser ein neuer, einzigartiger Text; somit existiert nicht nur *ein* objektiver Text, sondern ebenso viele Texte wie Leser. (vgl. Klarer 2011, S.29)

Die Kommunikation zwischen Leser und Text ist ein individueller Prozess, zahlreiche Verläufe und Entwicklungen des Lesers sind dabei zu berücksichtigen:

- Worterkennung
- Herstellung semantischer und syntaktischer Relation
- Integration von Vorwissen
- Überzeugungen und Erwartungen (vgl. Pfeiffer 2018, S. 456)

Christmann und Groeben gehen davon aus, dass diese aufgeführten Teilprozesse parallel und nicht nacheinander stattfinden, da „höhere Verarbeitungsprozesse bereits einsetzen bevor Prozesse auf niedriger Ebene abgeschlossen sind." (ebd.)

In der Lese(r)psychologie beschäftigt sich die kognitionspsychologische Forschung vor allem mit den kognitiven Strukturen und ihrer Funktionsweise, während die psychoanalytische Richtung eine Beteiligung des (Leser-)Unbewussten bei der Interaktion zwischen Text und Leser annimmt.

Ebenso soll „die ‚Phantasiestruktur‘ des (literarischen) Textes Übertragungs- und Gegenübertragungsvorgänge zwischen Text und Lesenden auslös[en]." (ebd.)

Bei der Untersuchung kognitiver Elemente werden sowohl literarische als auch nicht-literarische Texte untersucht.

Norman N. Holland entwickelte die erste empirisch fundierte Rezeptionstheorie anhand einer umfangreichen Untersuchungsreihe, in der er nachwies, wie unterschiedlich individuelle Rezeptionsweisen von Lesern aufgrund ihres *identity theme* (Identitätsthema) ausfallen. Das Textwerk wird dabei mithilfe der (unbewussten) Strukturen und eigenen Anpassungs- und Abwehrmechanismen so modelliert, bis es mit dem Identitätsthema des Lesers übereinstimmt. (vgl. ebd., S. 462)

---

[5] Die Idee der passiven Textrezeption: Der Autor eines Textes enkodiert beim Schreiben seine Bedeutung, der Rezipient muss beim Lesen die Bedeutung dekodieren.

Die damit verbundene emotionale Komponente oder der Grad der Identifikation ist so nur bei der Lektüre von Alltagstexten möglich, weswegen sich psychoanalytische Rezeptionstheorien bei ihren Untersuchungen vor allem auf literarische Texte konzentrieren. (vgl. ebd.)

Hollands Modell wird von Wolfgang Iser im Rahmen seiner einseitigen Betrachtungsweise kritisiert. Dieser führt die unterschiedlichen Rezeptionsweisen nicht nur auf verschiedene Lesepersönlichkeiten zurück, sondern auch auf die „Unbestimmtheitsgrade" literarischer Texte. (vgl. ebd., S. 84, 267)

Ebenso erwähnt seien die lerntheoretisch ausgerichteten Theorien aus der behavioristischen Psychologie, die bis in die 1960er Jahre dominierten.
Diese konzentrierten sich bei ihrer Lese(r)forschung auf einwirkende Umweltbedingungen und -reize sowie veränderbare Lesesituationen, während sie die internen Prozesse (kognitive und motivationale) ausließen.
Wie schon zuvor angedeutet, war das Problem dieses Kommunikationsmodells vor allem ihre Auffassung der passiven Textbedeutungs-Dekodierung, die weitere komplexe Teilprozesse beim Lesen völlig außer Acht ließ und von der Kognitionspsychologie abgelöst wurde. (vgl. Parr/Honold 2018, S. 145)

Aber nicht nur das Lesen, auch der Leser selbst wird in der Leseforschung untersucht.
Hans E. Gierhl entwarf bereits 1968 vier Hauptarten des Lesens[6] und ordnete diesen Lesearten jeweils den entsprechenden Lesetypen zu, jedoch mit der Anmerkung, dass hier Mischformen existieren und das Konzept noch unzureichend erforscht sei, worauf auch Groeben und Vorderer hinweisen. (vgl. ebd., S. 466)

Bei der Rezeption von Texten spielt die Textsorte keine Rolle, anders verhält es sich jedoch bei der Text*wirkung*.
Wie schon in Kapitel 2.2 erwähnt, wird hier in kognitiv-reflexiv, moralisch-soziale sowie emotionale Wirkung unterteilt, wobei für Groeben und Vorderer die Lektürewirkung literarischer Texte vor allem auf Genuss und Erkenntnis, Identifikation und Erfahrungssimulation beruht. (vgl. ebd.)

---

[6] informatorisches, evasorisches, kognitives und literarisches Lesen

Der Lesegenuss und damit Wirkungseffekt lässt sich stärken, wenn bei der Identifikation ebenso eine Distanznahme und eine Ablösung von den Figuren möglich ist; dies steigert den Erkenntnisprozess und damit das Textverstehen des Rezipienten. (vgl. ebd.)

4 Storytelling

4.1 Vorbemerkung

Mit den Untersuchungsgegenständen und dem aktuellen Forschungsstand ist die Bildung des Vorwissens aus den notwendigen Gebieten geschafft. Nun geht es darum, nötiges Grundwissen für unsere geplante Methode zu entwickeln, dass sich in zwei Gebieten unterteilt: Grundwissen aus der Erzähltheorie für (spannende) Geschichten sowie Grundwissen aus der Bibliotherapie für heilende Geschichten.

Nachdem Untersuchungsgegenstände und der aktuelle Forschungsstand zum Themengebiet dieser Arbeit abgedeckt sind, will dieses Kapitel aus erzähltheoretischer Sicht zur literarischen Erzählkunst führen und einen erzähltheoretischen „Werkzeugkasten" schaffen, der für die bibliotherapeutische Storytelling-Methode nötig ist.

Das Kapitel sieht sich als nötiges Grundwissen für die Schaffung einer spannenden Geschichte.

Der Text beschäftigt sich systematisch mit den Fragen:

Was sind die Mindestkriterien einer Geschichte? (Kap. 4.2)

Welche anwendbaren Erzähltechniken gibt es? (Kap. 4.3)

Wie ermittle ich den Wert einer Geschichte? (Kap. 4.4)

Abschließend werden die gesammelten Ergebnisse zusammengetragen (Kap. 4.5).

Mit Blick auf das Untersuchungsziel wird dadurch zwar ein grober, aber kein vollständiger Überblick in ihre Wissenschaft gegeben; manche Begrifflichkeiten und Methoden sind im Rahmen ihres Kontextes für das Ziel dieser Arbeit angepasst worden oder bedienen sich unterschiedlicher literarischer Theorieströmungen.

4.2 Literarische Texte

> „The house of fiction has not one window, but a million.
> There are in fact five million ways to tell a story,
> each of them justified if it provides a center for the work."
>
> *Henry James, 1899*
>
> *[Text von lat. textum: Gewebe]*

Was macht einen Text zum Text?

Das bloße Aneinanderreihen von Wörtern und Sätzen reicht dafür nicht aus: syntaktische, semantische und pragmatische Mechanismen sowie eine aktive

Konstruktion des Rezipienten, der den Text an Sinnhaftigkeit ergänzt, bilden aus dem Gerüst den nötigen Zusammenhang. (Hartwig/Stenzel 2007, S. 41-43)

Was macht einen Text zu einem literarischen Text?

Für den russischen Formalisten Roman Jakobson gehörte ein Text zur Literatur, sofern darin die

poetische Funktion der Sprache dominiere.[7] (ebd., S.45f.)

Seiner Ansicht nach lenke die poetische Sprache die Aufmerksamkeit des Rezipienten auf „die sprachliche Beschaffenheit einer Nachricht" und dadurch scheine der Text sich nur noch um sich selbst zu drehen. (ebd., S.46)

Jakobsons Modell ist sowohl prominent als auch vielfach kritisiert worden.

Zum einen findet sich die poetische Sprachfunktion auch in nicht-literarischen Textsorten, zum anderen wird in seinem Modell die vernachlässigte Rolle von Autor und Rezipient kritisiert. (ebd.)

Der russische Literaturwissenschaftler Jurij M. Lotman definierte literarisch rezipierte Texte als eine ästhetisierte, hergestellte „Welt ,zweiten Grades'", die die gleiche Kommunikation wie die Alltagssprache verwende und bei ihrer modellierten Wirklichkeit eigenen Bedeutungen (Sekundärcodes) entwerfe. (ebd., S.48)

Wenn die Definition eines literarischen Textes also vom Zusammenspiel zwischen Text und Kontext (Autor & Rezipient) abhängt, so muss man sich eher fragen, *was* in welchem Kontext als Literatur funktioniert. Wird ein Text nun als literarischer Text angesehen, so sind folgende Punkte impliziert: (ebd., S. 47f.)

- **die Entbindung von einem pragmatischen Kontext**
    (die Kommunikationssituation muss aus dem Text selbst erschlossen werden)
- **Autofunktionalität**
    (der literarische Text muss kein bestimmtes Handlungsziel haben)
- **Fiktionalität**
    (die Textaussagen können nicht auf ihren Wahrheitswert hinsichtlich einer
    gesellschaftlichen Realitätsauffassung überprüft werden)

---

[7] Jakobson hatte 1981 ein Modell zur Srachfunktion mit sechs Funktionen geschaffen: 1. emotive/expressive 2. appellativ/konativ 3. referentiell 4. metasprachlich 5. phatisch und schließlich 6. poetisch (vgl. ebd. , S.46)

- **Aufwertung der Sprache als Gegenstand der Aufmerksamkeit**

  (eine Mehrdeutigkeit der Sprache dominiert)

Literarische Texte übermitteln also nicht nur eine Botschaft, sie sind meist schon Botschaft in sich selbst. (Lahn/Meister 2013, S. 162)

Wie schon zu Beginn erläutert, rezipiert der Leser einen Text und weist ihm damit eine Bedeutung zu.

In diesem Zusammenhang sei auf den in der Erzähltheorie übernommen methodologischen Grundsatz der Semiotik von Ferdinand de Saussure hingewiesen, nach dem narrative Elemente als Zeichen aufgefasst werden; die Zeichenbedeutung ergibt sich hiernach aus der Beziehung anderer Zeichen, für die die Existenz besonderer Gesetze angenommen wird. (vgl. ebd., S. 37)

In der Literatur wird in den drei Gattungen Epik, Lyrik und Drama unterscheiden, wobei der Begriff der Epik schon relativ altmodisch ist und hierfür eher Prosa verwendet wird.

Gattungen und Textsorten geben Rezeption (Erwartungshaltung) und Produktion (Konstruktionsvorgabe) eine Vorstrukturierung und werden durch Themen (inhaltlicher Kern eines Textes), Struktur (Textgefüge) und Funktion (kommunikativer Zweck) in einem Gebrauchszusammenhang anhand textinterner und kontextueller Faktoren voneinander unterschieden; die Funktionen sind dabei nicht mit der Textwirkung zu verwechseln, sie beschreiben eher das angestrebte Funktionsziel und lenken so die Erwartungshaltung des Rezipienten. (Hartwig/Stenzel 2007, S. 52)

Traditionell unterscheidet die Literaturwissenschaft noch heute in lyrische, narrative und dramatische Texte, auch wenn mittlerweile anerkannt wird, dass Gattungen einem historischen Wandel unterliegen. (vgl. ebd., S. 54)

Literarische Texte gehören zur Gattung der Epik.

Die Textsorten werden hier anhand ihres Umfangs unterschieden: (Lahn/Meister 2013, S. 61f.)

- Großformen (z.B. Roman, Versepos)

- Formen mittleren Umfangs/Kurzprosa (z.B.Novelle, Erzählung)
- Kleinformen (z.B. Kurzgeschichte, Fabel, Parabel, Legende oder Märchen), die in dieser Arbeit genauer untersucht werden dessen Textmerkmale genauer in Kapitel 6.3 angeführt werden.

Der Erzähltext wird in der klassischen Narratologie in zwei zentrale Dimensionen unterteilt:
den **Diskurs** (*discours*) und die **Geschichte** (*histoire*). (Martínez 2011, S.1)
Der Diskurs ist die sprachlich realisierte Erzählung, mit der die Geschichte von einer Erzählinstanz vermittelt wird: wenn die **Gestaltungsweise** eines Textes betrachtet wird, wird der Fokus auf die **Erzählweise** gelegt. Gefragt wird dabei: *Wie* ist etwas erzählt worden?
Ebenso kann der **Erzählinhalt** und dabei die Kategorie der Geschichte untersucht werden. Hier steht die Frage im Vordergrund, *was* erzählt wird. (Lahn/Meister 2013, S. 18f.)

Der **Erzähler** als Vermittlungsinstanz wird dabei dem Diskurs zugeordnet oder auch seltener als dritte Dimension (*Wer* erzählt?) aufgeführt. (vgl. ebd., S. 71)
Das Erzählte ist immer durch den Erzähler bedingt, seine Art des Erzählers also beeinflusst entscheidend die Geschichte.
Dadurch ist das *Wie und Was* im literarischen Text zwar nicht trennbar, wird aber aus Analysegründen stets getrennt betrachtet. (Hartwig/Stenzel 2007, S. 58)

4.3 Literarische Techniken

„Make 'em-laugh, make 'em-cry, make 'em-wait."
Charles Reade, 1814-1884

Texte werden in der Literaturwissenschaft in narrative, dramatische und lyrische Texte unterteilt. Diese Arbeit hat ihren Fokus auf narrative Texte, die – wie in Kapitel 4.2 angeführt – in Diskurs und Geschichte unterteilt werden. Beide Dimensionen betreffen textinterne Aspekte; die Geschichte beschäftigt sich mit Techniken, die für den Erzählinhalt zuständig sind, der Diskurs mit der möglichen Gestaltungsweise des Textes. Zwei Gesichtspunkte dieser Dimensionen werden jedoch gesondert betrachtet: Die – zum Diskurs gehörende – Stilistik und Rhetorik aufgrund ihrer erscheinenden

Anwendungswichtigkeit bezüglich der Textwirkung auf den Leser sowie die Aspekte der Thematik, da sie beiden Dimensionen zugehörig ist.

4.3.1 Rhetorik und Stilistik

Rhetorik ist die „Redekunst", die Fähigkeit, durch eine (öffentliche) Rede einen Standpunkt so überzeugende zu vertreten, dass es das Denken und Handeln der Zuhörer beeinflusst.

Zudem bezeichnet der Begriff ebenso die „Theorie bzw. Wissenschaft dieser Kunst." (Neuhaus 2014, S. 116)

Die Entstehung der Rhetorik steht im engen Zusammenhang mit der Entwicklung der Demokratie im 5. Jahrhundert v. Chr. im antiken Großgriechenland.

Durch die Vertretung eigener politischen und rechtlichen Interessen vorm Staat entwickelt sich in dieser Zeit die Rede zum notwendigen gesellschaftlichen Geschick, die schließlich auch im gesellschaftlichen Leben Platz nimmt.

Der Philosoph Platon kritisierte die Rhetorik als Überredungs- und Scheinkunst scharf für ihren mangelnden Erkenntnis- und Wahrheitsanspruch, wohingegen Aristoteles gerade das Überzeugungsmittel der Rede als lohnend für die Erkenntnis betrachtete. (vgl. Hartwig/Stenzel 2007, S. 84)

Ursprünglich für die bewusste Gestaltung *mündlicher* Mitteilungen konzipiert, entwickelt sich die Redekunst ab dem 2. Jahrhundert vor Christus in Richtung/zur Schreibkunst. (vgl. ebd., S. 85)

Die bereitgestellten Techniken der Rhetorik sind die Methoden des **Schlussfolgerns**, das Anwenden eines **Argumentationsmuster** sowie die Verwendung **stilistischer Figuren**.

Die Redevorbereitung der Rhetorik wird in fünf Stufen unterteilt: (Neuhaus 2014, S. 116f.)

1. *inventio* (Auffindung des Stoffes)
2. *disposito* (wirksame Anordnung des Stoffes und der Argumente), unterteilt in *Einleitung, Mittelteil und Schluss.*
3. *elocutio* (sprachliche Ausformulierung der Rede)
4. *memoria* (das Auswendiglernen der Rede, was beim Schreibprozess entfällt)

29

5. *pronuntiatio/actio* (das Vortragen der Rede, bei Schreibarbeit eher die wirkungsvolle Präsentation).

Gerade die *elocutio* ist für die Auseinandersetzung von Textqualität interessant; vier Stilqualitäten müssen bei der sprachlichen Ausformulierung beachtet werden: (Hartwig/Stenzel 2007, S. 87)

die **grammatische und sprachliche Korrektheit** (*puritas*),

Klarheit und Verständlichkeit (*perspicuitas*),

Schmuck (*ornatus*) und

Übereinstimmung des Stils mit der Sache (*aptum*).

Mit *ornantus* werden die rhetorischen Mittel bezeichnet; sie werden in Figuren (Wortfiguren = weichen von normaler Wortfolge ab; Klangfiguren = heben Wortmaterial statt Inhalt hervor) und Tropen (Wörter werden im übertragenen Sinne verwendet) unterteilt.

Wortfiguren	Klangfiguren	Tropen
Antithese *Gegenüberstellung gegensätzlicher Begriffe und Gedanken*	Alliteration *Gleich klingender Anlaut von benachbarten oder nahe stehenden Wörtern*	Periphrase *Umschreibung eines Wortes durch Kennzeichen des Bezeichneten*
Chiasmus *Anordnung von sich gedanklich entsprechenden Wörtern in Kreuzform*	Anapher *Wiederholen eines Wortes am Anfang aufeinander folgender Sätze*	Litotes *Verneinung eines Ausdrucks, um das Gegenteil auszudrücken*
Ellipse *Auslassung von Wörtern, die aus dem Kontext erschlossen werden können*	Onomatopöie *schallnachahmende Wortbildung, Lautmalerei*	Metonymie *Ersetzung eines Wortes durch eines, das mit diesem in einer logischen oder sachlichen Beziehung steht*
Parallelismus *Anordnung von Wörtern in paralleler Weise*	Geminatio *Unmittelbare Wiederholung eines Wortes oder einer syntaktischen Einheit*	Synekdoche *Ersetzung eines Wortes durch einen Teilaspekt desselben*
Inversion *Umstellung von Wörtern*		Vergleich

Wortfiguren	Klangfiguren	Tropen
		Metapher *Verkürzter Vergleich, in dem ein Wort durch einen Ausdruck aus einem anderen Bereich ersetzt wird, wobei ein beiden Bereichen gleiches Vergleichsmoment existiert*
		Ironie *Ersetzung eines Ausdrucks durch einen entgegengesetzten Ausdruck, bei dem dennoch der eigentliche Ausdruck durchscheint*
		Personifikation *Verleihung von menschlichen Eigenschaften an unbelebte bzw. nicht menschliche Objekte*

Tab. 1 Beispiele rhetorischer Mittel (Hartwig/Stenzel 2007, S. 20)

Das *aptum* bezieht sich auf den Stil des Erzähltextes, der in der normativen Poetik vor allem Angemessenheit verlangte und in drei Stufen unterteilt wurde: (Lahn/Meister 2013, S.195, 198)

- niederer Stil: einfache Texte mit belehrender Funktion (einfache Themen)
- mittlerer Stil: etwas schwerere Texte mit erfreuender Funktion (z.B. Liebesthemen)
- hoher Stil: anspruchsvoller Text mit bewegender Funktion (Heldendarstellung, Nutzung aller Mittel der Redekunst)

Stilvorschriften der normativen Poetik haben sich mittlerweile nicht nur gelockert und aufgelöst (beliebt sind beispielsweise Spiele mit Stilbrüchen), mittlerweile hat sich die aktuelle Forschung zur Stilistik vom produktionsästhetischen hin zum wirkungsorientierten Ansatz entwickelt. (ebd., S. 196, 199)

In der narratologischen Stilistik werde erzähltechnische Stilmittel vielmehr als Struktur betrachtet, die unmittelbar in den Erzählverlauf eingreifen und in Hinblick ihres angestrebten Effekts analysiert. (vgl. ebd., S. 200)

4.3.2 Motiv, Stoff, Thema

Wer von einem Roman erzählt, erzählt nicht nur vom Inhalt, er erzählt auch, worum es in der Geschichte *eigentlich* geht.

Dieses „Eigentliche" bezeichnet den inhaltlichen Gesamtzusammenhang des Erzählten in seiner ästhetischen Relevanz. (vgl. Lahn/Meister 2013, S. 204)

Der Stoff eines Erzähltextes ist die Handlungsstruktur (Figuren und ihre Konstellationen, Schauplatz, Ausgangssituation, Konflikt, Geschehensverlauf und Ausgang), die verschiedenen Texten gemeinsam zugrunde liegt. Die Geschichte von Shakespears *Romeo und Julia* ist beispielsweise ein Stoff, der aus den Motiven von verfeindeten Familien sowie dem gemeinsamen Liebestod besteht – und schon oftmals verwendet worden ist. (Neuhaus 2014, S. 114)

Das Motiv wiederum setzt sich wie der Verabreichung des Giftes oder der Reihenfolge der Todesopfer zusammen. Das Thema bildet sich so aus der Gesamtstruktur des Problems, das den Erzähltext organisierte – in diesem Fall die unglückliche Liebe.

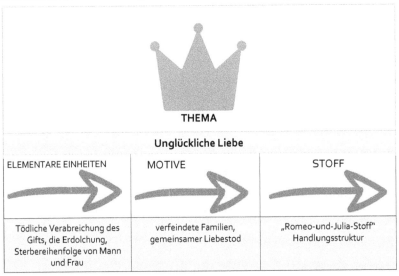

Ab. 2 Beispiel angelehnt an Neuhaus 2014, S, S.114

Wer von einem Roman erzählt, erzählt nicht nur, worum es eigentlich geht, er informiert vor allem, worum es *seiner Meinung nach* gegangen ist.

Das „seiner Meinung nach" ist ein ebenso wichtiger Aspekt der Thematik: da die Kommunikation zwischen Leser und Text ein individueller Prozess ist (siehe Kap.

3.2.2), können auch Themen literarischer Texte verschiedene Bedeutungsebenen (Isotopien) aufweisen.

Ein Thema hat keine objektive Gegebenheit: sobald der Leser glaubt, in einem Text ein Thema zu erkennen, beginnt auch seine funktionale Größe zu wirken. (Lahn/Meister 2013, S. 211)

4.3.3 Diskurs: Zeit, Modus, Stimme

Der Erzählvorgang als kommunikativer Prozess unterliegt zwar – als Ganzes – bestimmten literarischen und ästhetischen Konventionen (vgl. ebd., S.112), doch Geschichten lassen sich auf viele verschiedene Weisen erzählen.

Die Möglichkeiten ihrer Gestaltungsweisen sind dabei so vielfältig wie die Fantasie grenzenlos ist.

So besteht die Möglichkeit, dem Anspruch an Textoriginalität gerecht werden zu können, während einheitliche Erzeugungstechniken für das Narrative herrschen, die sich in jeder Geschichte finden lassen.

Das folgende Kapitel widmet sich der Frage, **wie** eine erzählte Geschichte dargestellt und mit welchen Mitteln diese erzählte Welt erzeugt werden kann.

Die Präsentation der erzählten Geschichte lässt sich grob in drei Aspekte untergliedern, die sich erzähltheoretisch genauer untersuchen lassen: (Jannidis et al. 2005)

1. **Zeit**
2. **Modus** (Wie unmittelbar und aus welcher Perspektive wird erzählt?)
3. **Stimme** (Wer spricht?)

Mit der Zeitstruktur eines narrativen Textes beschäftigte sich erstmals Günther Müller und das prägte das Begriffspaar **erzählte Zeit** vs. **Erzählzeit**, die in der *Einführung der Erzähltheorie* folgend definiert wird:

„Unter Erzählzeit *hat man sich die* **Zeit** *vorzustellen, die ein Erzähler* **für das Erzählen einer Geschichte** *benötigt und die sich im Fall eines Erzähltextes, der keine konkreten Angaben über die Dauer des Erzählen enthält, einfach* **nach dem Seitenumfang der Erzählung bemisst.***

Die erzählte Zeit *meint demgegenüber die **Dauer der erzählten Geschichte.***" (Martínez/Scheffel 2016, S. 33)

Aus dem Verhältnis von erzählter Zeit und Erzählzeit ergeben sich drei Fragen mit weiteren Analysemöglichkeiten: (ebd., S. 34)

1. In welcher Reihenfolge oder **Ordnung** wird das Geschehen in einer Erzählung vermittelt?

Da Erzählungen kommunikative Gerüst sind, wird von ihnen eine Linearität erwartet, wie sie auch in sprachlichen Äußerungen zu finden ist.

In narrativen Texten lassen sich daher drei Formen der Ordnung finden:

- die Ordnung wird eingehalten (auf A folgt B folgt C)
- von der Ordnung wird abgewichen, indem ein Ereignis, das sich noch ereignen wird, an früherer Stelle erzählt wird (auf A folgt C folgt B = zeitlicher *Vorgriff*)
- von der Ordnung wird abgewichen, indem ein Ereignis, das sich früher ereignet hat, an späterer Stelle erzählt wird (auf B folgt A folgt C = zeitliche *Rückblende*)

Die Umstellung der chronologischen Ordnung wird übergreifend **Anachronie** genannt, der zeitliche Vorgriff *Prolepse* und die Rückblende *Analepse*. (ebd., S. 35f.)

2. Welche **Dauer** beansprucht die Darstellung eines Geschehens oder einzelner Geschehenselemente in einer Erzählung?

In Erzählungen stimmt die Erzählzeit mit der erzählten Zeit selten überein; die zeitliche Dauer wird meist nur durch eine szenische Darstellung gegeben, die ein Paradebeispiel für eine der drei Möglichkeiten der Zeitdarstellung ist: (vgl. ebd., S. 42-47)

- *zeitdeckendes* Erzählen: das Verhältnis von Erzählzeit und erzählter Zeit ist ausgewogen
- *zeitdehnendes* Erzählen: die Erzählzeit wird ausgedehnt
- *zeitraffendes* Erzählen: die erzählte Zeit wird ausgedehnt

Die *Dehnung* ist charakteristisch für narrative Texte, da die Beschreibung von Ereignissen meist länger dauert als das Ereignis selbst. Durch *Pausen* wird das

Erzähltempo umso mehr verlangsamt – meist lässt sich ein diskursiver Erzählabschnitt durch Beschreibungen von Figuren, Örtlichkeiten oder Gedanken die Handlung effektiv pausieren. (vgl. Jannidis et al. 2005)

Die Raffung der Zeit liegt wiederum bei einer meist summarisch Erzählweise vor; nicht alle Details, Ereignisse oder Wiederholungen ähnlicher Ereignisse werden dargestellt, wodurch das Erzähltempo beschleunigt wird.

Besonders extrem lässt sich dies durch das Aussparen einer Zeitspanne erreichen; ein solcher Zeitsprung nennt sich *Ellipse* und kann markiert und explizit oder unmarkiert und implizit vorliegen. (Jannidis et al. 2005)

3. In welchen Wiederholungsbeziehungen stehen das Erzählte und das Erzählen, d.h. mit welcher **Frequenz** wird ein sich wiederholendes oder nichtwiederholendes Geschehen in einer Erzählung präsentiert?

Im Rahmen des erzählten Geschehens und im Rahmen der Erzählung lassen sich die Zahl der Wiederholungen ihres Ereignisses sowie ihrer Darstellung betrachten.

Aus dieser Betrachtung heraus ergeben sich für diese Ergebnisse folgende Möglichkeiten: Wiederholt oder einmalig wird ein einmaliges Ereignis erzählt, wiederholt oder einmalig wird ein wiederholtes Ereignis erzählt. (vgl. Martínez/Scheffel 2016, S.48)

Aus diesen Eventualitäten lassen sich drei Typen von Wiederholungsbeziehungen formen: (vgl. ebd., S.48-50)

- *Singulatives* Erzählen: Ereignisse der Geschichte werden genauso oft erzählt, wie sie geschehen.
- *Iteratives* Erzählen: Ein wiederholendes Ereignis wird nur einmal erzählt. Das geschieht entweder summarisch (zeitraffend) oder exemplarisch
- *Repetitives* Erzählen: ein einmaliges Ereignis wird wiederholend erzählt.

Gerade das repetitive Erzählen bewirkt eine besondere Aufmerksamkeit des Lesers (Jannidis et al. 2005), da durch das wiederholte Erzählen eines einmaligen Ereignisses eine besondere Wichtigkeit suggeriert wird.

ZEIT

Ordnung	Chronologie	Analepse	Prolepse
		Anachronie	
Dauer	zeitdeckend	zeitdehnend	zeitraffend
	Szene	Dehnung, Pause	Raffung, Ellipse
Frequenz	singulativ	iterativ	repetitiv
	ereignis-entsprechend	einmalig wiederholend	wiederholend einmalig

Tab. 3 Diskurs: Zeit, 3 x 3 Tabelle (vgl. Jannidis et al. 2005)

Der Modus behandelt den Grad der Mitteilbarkeit (wie sehr mischt sich ein Erzähler in die Erzählung ein? Wie detailliert sind Schilderungen und die Präsentation von Worten und Gedanken?) sowie die Perspektivierung des Erzählten.

Er umfasst zwei Aspekte, die sich wiederum in zugehörige Kategorien unterteilen lassen: (vgl. Martínez/Scheffel 2016, S. 50)

1. Distanz: Wie mittelbar wird das Erzählte präsentiert?

Die Distanz kann als Skala gesehen werden, „an deren einem Ende die szenische Darstellung mit wörtlicher Rede (dramatischer Modus) und an deren anderem Ende die vollständige Vermittlung der Geschichte durch einen in jeder Hinsicht präsenten Erzähler (narrativer Modus) liegt." (Jannidis et al. 2005)

Sofern kein Erzähler erkennbar ist und die Geschichte direkt erzählt wird, liegt **eine unmittelbare Darstellung im dramatischen Modus** vor; ist die Erzählerpräsenz von Stimme und Perspektive wiederum sehr stark, liegt eine **mittelbare Darstellung im narrativen Modus** vor. (ebd.)

Gerade die Darstellung von Ereignissen, Worten und Gedanken innerhalb dieser Skala ist interessant und weist, je nach Modus, bestimmte Unterschiede auf. (vgl. ebd.)

Der Einfachheit halber sind die Modi und Strategien folgend in einer Tabelle angeführt, die sich vollständig an der sehr übersichtlichen erzähltextanalytischen Ausarbeitung von Prof Dr. Fotis Jannidis, Dr. Uwe Spörl sowie Dr. Katrin Dennerlein orientiert: (ebd.)

	Präsentation von Ereignissen	Präsentation von Worten	Präsentation von Gedanken
Dramatischer Modus	Nicht-sprachliche Ereignisse werden präsentiert, als ob eine vermittelnde Erzählinstanz kaum/gar nicht beteiligt sei	Worte einer Figur werden ohne (wesentliche) Eingriffe durch den Erzähler wiedergegeben	Gedanken oder Bewusstseinsinhalte einer Figur werden ohne wesentliche Eingriffe durch den Erzähler wiedergegeben.
Dramatische Strategien	- (detailreiche) Beschreibungen (aus der Wahrnehmungsperspektive einer beteiligten Figur) - konkrete Raum-zeitliche Bestimmungen - Chronologisch-kausale Ereignisabfolgen - zeitdeckendes Erzählen sowie jeglicher Verzicht auf Kommentare durch den Erzähler	- direkte Rede: Erzählerische Redewiedergabe in der 1. bzw. 2. Person Präsens Indikativ (als Basistempus), ohne Innensicht und kommentierende Einmischung, in vollständiger oder bei Bedarf beliebig unvollständiger Syntax. Eingeleitet mit einem verbum dicendi. - autonome direkte Rede: wie direkte Rede, aber ohne verba dicendi, evtl. sogar ohne Anführungszeichen	- Gedankenzitat: erzählerische Gedankenwiedergabe, die mit einem verbum sentienti eingeleitet und markiert werden - Innerer Monolog: Markierungen wie „dachte er"-Formeln entfallen, Gedanken werden direkt wiedergegeben - Bewusstseinsstrom: Radikalisierung des Inneren Monologes, es kommen noch assoziative, ungesteuerte, strukturlose Gedanken hinzu
Narrativer Modus	Nicht-sprachliche Ereignisse werden erkennbar von einem Erzähler präsentiert	Worte einer Figur werden erkennbar/mittelbar von einem Erzähler wiedergegeben	Bewusstseinsprozesse werden durch den Erzähler vermittelt und dabei zusammengefasst. Der Erzähler weicht erkennbar von den Gedanken oder Bewusstseinsinhalten der Figur ab.

Narrative Strategien	- Handlungen und Geschehnisse der erzählten Welt werden sprachlich durch die Worte eines Erzählers vermittelt - Erzähler fasst Geschehnisse zusammen oder rafft sie, kommentiert, modifiziert etc.	- Erwähnung des sprachlichen Akts: Nur das Stattfinden eines sprachlichen Akts wird vom Erzähler berichtet. Der Inhalt wird dabei nicht genauer spezifiziert - Redebericht: Ein sprachlicher Akt wird vom Erzähler berichtet und dessen Inhalt allgemein wiedergegeben	- Erzähler greift in Bewusstseinsinhalte/Gedanken einer Figur ein, indem er sie weglässt, zusammenfasst oder anderweitig verändert
Gemischter Modus		Der Erzähler ist auf bestimmte und eng begrenzte Art erkennbar an der Präsentation der Worte einer Figur beteiligt, indem er sie in eigener Rede überführt	Transponierte Gedanken: Der Erzähler ist erkennbar beteiligt an den Gedanken bzw. Bewusstseinsinhalten einer Figur, indem er sie in eine Rede überführt

Gemischte Strategien		- indirekte Rede: Erzählerische Redewiedergabe in der 3. Person (bei Ich-Erzählung: in der 1. Person), ohne Innensicht, mit der Möglichkeit kommentierender Einmischung, in vollständiger Syntax ohne Anführungs-, Ausrufe- und Fragezeichen. Inhalt/Gedanken der Figurenrede bleibt erhalten, nicht jedoch ihr Wortlaut, da das Gesagte dem Erzähler als Inhalt eines „dass"-Satzes im Konjunktiv zugeordnet wird - erlebte Rede: Erzählerische Redewiedergabe in der 3. Person, mit Innensicht und der Möglichkeit kommentierender Einmischung, aber ohne ,verba dicendi et sentiendi', in vollständiger Syntax (Ausnahme: Interjektionen) und mit unbeschränkter Interpunktion, jedoch ohne Anführungszeichen. Wortlaut und Ausdrucksqualität des Gesagten bleiben erhalten, werden aber in den Erzählerbericht eingebettet.	- indirekte Gedankenrede: der Inhalt der Figurengedanken bleibt erhalten, nicht jedoch ihr Wortlaut - Erlebte Gedankenrede: Erzählerische Gedankenwiedergabe in der 3. Person, mit Innensicht und der Möglichkeit kommentierender Einmischung, aber ohne ,verba dicendi et sentiendi', in vollständiger Syntax (Ausnahme: Interjektionen) und mit unbeschränkter Interpunktion, jedoch ohne Anführungszeichen. In erlebter Gedankenrede bleiben zwar Wortlaut und die Ausdrucksqualität des von der Figur Gedachten weitgehend erhalten, werden aber

Tab. 4 (Jannidis et al. 2005)

2. Fokalisierung: <u>Aus welcher Sicht wird erzählt?</u>

Der fiktionalen Erzählung eines realen Erzählers sind im Hinblick auf die Darstellung eines Geschehens keine Grenzen gesetzt - so kann diese aus allen möglichen

Blickwinkeln erfolgen und mit allen möglichen Wahrnehmungen einer erlebenden Figur gekoppelt sein.(Martínez/Scheffel 2016, S. 67)

Die Fokalisierung bezeichnet die Wahrnehmungsinstanz (Wer sieht? Wer nimmt wahr?), die entweder mit einer Figur zusammenfallen oder von ihr völlig unabhängig sein kann.

Sie wird in drei Formen unterschieden: (Lahn/Meister 2013, S. 118)

1. Nullfokalisierung (auktorial/Über- oder Allsicht): Der Erzähler weiß mehr mehr als die Figuren.

2. Interne Fokalisierung (Mitsicht): Der Erzähler weiß und nimmt genauso genauso viel wahr wie die Figuren. Genette fügte der internen Fokalisierung noch drei Subkategorien zu: (vgl. ebd., S. 119)

- *fixierte interne* Fokalisierung: Die Wahrnehmung bleibt an einer Figur gebunden.
- *variable interne* Fokalisierung: es wird mal aus der einen, mal aus der anderen Sicht einer Figur berichtet.
- *multiple interne* Fokalisierung: dasselbe Ereignis wird von mehreren Figuren geschildert und auch interpretiert.

3. Externe Fokalisierung (Außensicht): Die Figuren wissen mehr als der Erzähler.

Wie schon zuvor erwähnt, kann die Wahrnehmungsinstanz auch vollkommen unabhängig von der erlebten Figur sein. Ebenso unabhängig von ihr kann die **Stimme** bzw. die Erzählinstanz (Wer spricht den Erzähltext?) sein, die sich – wie die Wahrnehmungsinstanz – in drei Kategorien unterteilen lässt: (Martínez/Scheffel 2016, S.72)

1. Zeitpunkt des Erzählers (Wann wird erzählt?): Geschichten werden in der Vergangenheit, Gegenwart oder Zukunft erzählt und so wird der Zeitpunkt des Erzählens in vier Fälle unterteilt. (ebd., S.73)

Begriff	Früheres Erzählen	Späteres Erzählen	Gleichzeitiges Erzählen	Eingeschobenes Erzählen
Erklärung	Ereignisse werden erzählt, bevor sie sich in der erzählten Welt ereignen. Der Zeitpunkt des Erzählens liegt also vor dem des Erzählten	Der Zeitpunkt des Erzählens liegt erkennbar nach dem des Erzählten. Er ist ein Regelfall allen Erzählens.	Der Zeitpunkt des Erzählens fällt erkennbar mit dem des Erzählten zusammen.	Das erzählte Geschehen ist zum Zeitpunkt des Erzählens noch nicht abgeschlossen, sodass sich Momente gleichzeitigen und späteren Erzählens gegenseitig durchdringen und durchmischen
Erkennungs-merkmal	Futur	Präteritum	Präsens	Präteritum + Präsens (Erzählendes und erlebtes Ich können beispielsweise verknüpft werden, wenn Ich in Brief- oder Tagebuchform erzählt. Dadurch kann zwischen späterem und gleichzeitigem Erzählen gewechselt werden.
Besonderheit	Die Tatsache, dass ein Erzähltext von einer Zeit handelt, die vom realen Autor aus betrachtet nach dessen Schreibakt liegt, ist kein Indikator für früheres Erzählen. Mit dem Zeitpunkt des Erzählens ist ausschließlich textinterne Relation gemeint.	Episches Präteritum: betont die Zeitlosigkeit statt Vorzeitigkeit des Erzählten. (liegt meist vor, wenn späterer Zeitpunkt des Erzählens kaum bestimmbar oder irrelevant ist) Historisches Präsens: Verwendung als Erzähltempus statt Darstellungs-tempus von Gegenwart	Präsens allein reicht für gleichzeitiges Erzählen nicht aus, ebenso ist die spezifische Präsentation des Erzählten als Gleichzeitiges relevant.	Da das Erzählen selbst Zeit in Anspruch nimmt, können zudem im Verlauf des Schreib- oder Erzählprozesses zu erzählende Ereignisse geschehen, die dann wiederum tatsächlich erzählt werden.

Tab. 5 Jannidis et al. 2005

2. Ebene des Erzählens (Auf welcher Ebene wird erzählt?)

Wenn ein Erzähler eines Erzähltextes eine Geschichte erzählt, so ist das ein Erzählen auf erster Ebene; innerhalb dieser erzählten Welt kann jedoch ebenso eine Geschichte erzählt werden.

Wenn so ein „Erzählen in der Erzählung" stattfindet, haben wir es mit einem Erzählen auf zweiter Ebene zu tun. (vgl. Jannidis et al. 2005, Martínez/Scheffel 2016, S. 80)

Dies kann ewig so weitergehen: Eine Geschichte in der Geschichte wäre das Erzählen auf dritter Ebene, eine Geschichte in der Geschichte in der Geschichte...

Prinzipiell unterteilt man in drei Hauptebenen und zwei Sonderformen: (vgl. ebd.)

- *Primäres Erzählen*: Erzähler der Geschichte bzw. der Rahmengeschichte, wenn es eine Binnengeschichte gibt. (extradiegetisch)
- *Sekundäres Erzählen*: Erzähler einer Binnengeschichte, der in der Rahmengeschichte als Figur auftritt. (intradiegetisch)
- *Tertiäres Erzählen*: Liegt vor, wenn Erzählen erzählt wird, von hier lässt sich das Verfahren immer weiter potenzieren. (metadiegetisch)

- *Textmontage*: In einer Erzählung hintereinander gestellte Textstücke verschiedener Art, die unterschiedlich fokalisiert sind und von unterschiedlichen Stimmen gesprochen werden. Sie können keiner eingeführten Stimme zugeordnet werden
- *Narrative Metalapse*: ‚Kurzschluss' zwischen den verschiedenen Ebenen der Erzählung, wenn beispielsweise die Figuren von ihrem Autor bzw. *um* ihre Fiktionalität wissen.

3. Stellung des Erzählers zum Geschehen

In welchem Maße ist der Erzähler am Geschehen beteiligt?

Zwei Arten der Beziehung von Erzähler und Figuren lassen sich unterscheiden: (vgl. ebd., S.85)

1. Der Erzähler ist am Geschehen beteiligt (homodiegetischer Erzähler).
2. Der Erzähler ist nicht am Geschehen beteiligt (heterodiegetischer Erzähler).

Ebenso angeführt sei hier die drei **Erzählsituationen** nach Franz K. Stanzel, die sich in der Erzähltheorie etabliert haben: (Hartwig/Stenzel 2007, S. 60f.)

- *auktoriale Erzählsituation*: Ein „allwissender" Erzähler schildert die erzählte Welt aus einer Außenperspektive, er hat Zugriff über Zeit und Innen- wie Außenperspektive der Figuren; Kommentare, Einmischungen und Bewertungen können in der Erzählung enthalten sein.
- *Personale Erzählsituation*: Der Erzähler erzählt die Geschichte aus Sicht einer Figur.
- *Ich-Erzählsituation*: Der Erzähler ist eine der Figuren der dargestellten Welt und berichtet aus der Innenperspektive

Zuletzt sei auf die Technik des **unzuverlässigen Erzählens** hingewiesen. Das Phänomen wurde 1961 von Wayne C. Booth beschrieben und gilt, wenn es „gute Gründe" gibt, die Darstellung des Erzählers anzuzweifeln oder wenn die in der erzählten Welt gemachten Behauptungen offenkundig falsch sind. (Lahn/Meister 2013, S. 189)

Das unzuverlässige Erzählen wird vom Autor oftmals als Strategie beziehungsweise ästhetisches Mittel eingesetzt (beispielsweise als literarische Ironie); dabei kann es aufklärerische Absicht haben oder willentlich Verunsicherung darstellen. (vgl. ebd., S.190, 193)

Man unterscheidet drei Formen des unzuverlässigen Erzählens: (vgl. ebd., S.189f.)

- *mimetische Unzuverlässigkeit*: Informationen über Handlungsabläufe – im Zusammenspiel mit Figuren, Angaben zu Ort, Zeit etc. – oder über die Beschaffenheit der erzählten Welt erscheinen widersprüchlich, zweifelhaft oder unzutreffend und können nicht aufgelöst werden.
- *Theoretische Unzuverlässigkeit*: Aussagen des Erzählers in Bezug auf allgemein Sachverhalte sind wenig angemessen oder unzutreffend
- *Evaluative Unzuverlässigkeit*: Einschätzungen und Bewertungen des Erzählers können nicht überzeugen.

4.3.4 Geschichte: Figur, Handlung, Raum

Geschichten lassen sich auf viele verschiedene Arten und Weisen erzählen, wie der detaillierte Blick auf den Diskurs deutlich machte. Doch nicht nur die Gestaltungsweise ist vielfältig, auch die inhaltlichen Ideen/Schaffensprozess/Erzeugungsmöglichkeiten hinter den Geschichten selbst grenzenlos.

Das folgende Kapitel befasst sich mit dem Erzählten, es fragt, *was* der Erzähler erzählt.

Die Geschichte eines Erzähltextes lässt sich grob in die inhaltlichen Dimensionen

1. **Handlung**
2. **Figur**
3. **Raum**

unterteilen, die alle Teil der **erzählten Welt** sind, in der sie stattfinden. (vgl. Martínez/Scheffel, S.113, 134, 147, 153)

1. Was ist eine Handlung?

Eine Handlung ist die Gesamtheit dessen, was erzählt wird. (Jannidis et al. 2005) Sie beginnt mit einem Ereignis, der elementarsten Einheit eines narrativen Textes; folgen diese Ereignisse chronologisch aufeinander, handelt es sich um ein Geschehen; haben sie zudem einen chronologischen und kausalen Zusammenhang, kann von einer Geschichte gesprochen werden. (ebd.)

Die Handlung wird in dieser Arbeit unter drei Gesichtspunkten betrachten:

- *Handlungsgrammatiken/Handlungslogik*
- *Motivierung/Handlungstypen*
- *Handlungskonzepte*

Die **Handlungsgrammatiken** beruhen auf der Annahme, dass unter der erzählten Oberfläche eines Textes eine narrative Tiefenstruktur liegt (ebd.), eine formale Struktur also, dessen „Logik" alle Erzählungen folgen.

Der russische Strukturalist Vladimir Propp untersuchte in seiner *Morphologie des Märchens* (1928) die handlungsbestimmenden Geschehensmomente und Ereignisse von

Märchen und machte dabei 31 Funktionen aus, die immer in der gleichen Reihenfolge angeordnet waren (aber nicht alle realisiert werden mussten). (Lahn/Meister 2013, S.227)

Er stellte fest, dass die Handlung der Märchen auf eine bestimmte Anzahl von abstrakten Handlungsträgern und -elementen zurückgeführt werden konnte (z.b. „Abreise", „Schädigung", „Prüfung", „Rückkehr"). (Hartwig/Stenzel 2007, S.60)

Da sich diese formale Grundstruktur jedoch nur auf Märchen bezog, versuchte Algirdas J. Greimas mithilfe der Semiotik in seiner 1966 veröffentlichten *Sémantique structurale* eine universelle Erzählgrammatik zu entwerfen: (Lahn/Meister 2013, S. 229)

Das Handeln von Figuren unterteilte er dabei in **Aktanten**, die wiederum sechs abstrakte - von den Figuren einsehbare – Handlungrollen repräsentieren: (vgl. ebd.)

- Subjekt (der Held)

- Objekt (das begehrte Objekt oder die gesuchte Person)

- Adressant (der Auftraggeber)

- Adressat (derjenige, der den Auftrag erhält)

- Adjuvant (der Helfer)

- Opponent (der Gegner)

Er geht weiter von der Opposition abstrakter Konzepte (Gut vs. Böse; tot vs. lebendig) aus, die verdeutlicht und von Aktanten dargestellt werden – diese Tiefenstruktur kann an der Textoberfläche durch verschiedene Arten von Helden (einzeln, Gruppe, Antiheld, männlich/weiblich) und Handlungen (z.B. Todesarten, die schnell oder langsam zu einem Ergebnis führen) umgesetzt werden. (Jannidis et al. 2005)

Weitere Modellversuche entwickelten Lévi-Strauss oder auch Claude Bremond, eine praktisch gut anwendbare Methode schaffte jedoch Thomas Pavel 1985 mit seiner *move grammar*. (Lahn/Meister 2013, S.231)

Pavel analysiert die Gesamthandlung als ein komplexes Gewebe von einzelnen (Spiel-)Zügen, die die Figuren ausführen.

Jede Figur verfolgt ihr eigenes, übergeordnetes Handlungsziel, reagiert aber gleichzeitig auf die sich ständig ändernde Gesamtkonstellation, da der Spielzug der einen Figur den Spielzug und damit das Handlungsziel der anderen Figur entweder sabotiert oder unterstützt. (vgl. ebd.)

Ein *move* kann somit als eine „Transformation von einer Ausgangssituation (*problem*) in eine Folgesituation (*solution*)" (vgl. ebd.) beschrieben werden; die Züge gehen solange weiter, bis den handlungstragenden Figuren keine Handlungsoption mehr möglich ist. (ebd.)

Die **Motivierung** integriert das dargestellte Geschehen zu einer Sinnstruktur einer Geschichte. (Martínez/Scheffel 2016, S. 116)

Drei Arten der der Motivierung werden unterschieden: (Jannidis et al. 2005)

1. *Kausale Motivierung*: Die Sinnstruktur der erzählten Welt bildet hier die kausale Verknüpfung von Ereignissen; bei der kausalen Motivierung wird ein Ereignis als die Ursache, ein anderes als die Wirkung dieser Ursache dargestellt.

2. *Finale Motivierung*: Die Sinnstruktur der erzählten Welt bildet hier die teleologische Verknüpfung von Ereignissen; bei der finalen Motivierung haben Ereignisse einen Sinn für ein Ziel, sie geschehen nicht zufällig, sondern planvoll (eine metaphysische Macht wirkt in der erzählten Welt)

3. Kompositorische Motivierung (Martínez/Scheffel 2016, S. 119): Im Gegensatz zur kausalen und finalen Motivierung liegt diese Motivierung auf einer anderen Ebene narrativer Texte; sie umfasst die Funktion der Ereignisse in der Gesamtkonzeption und folgt künstlerischen Regeln. Ereignisse einer Handlung können zufällig erscheinen, im Gesamtzusammenhang der Geschichte jedoch ihre ästhetische Funktion deutlich machen (z.B. metaphorisch oder metonymisch).

Die Erzähltheorie fragt sich nicht nur, *was* eine Handlung ist, sondern auch, was gemeint ist, wenn von einer Handlung gesprochen wird.

In der Theorie haben sich zwei Unterscheidungen gebildet, die des objektiven und des konstruktiven **Handlungskonzeptes.** (Lahn/Meister 2013, S.220)

- objektives Handlungskonzept: Handlungen sind in einer (realen oder fiktionalen) Welt gegenständlich vorhanden und gelten damit sowohl als Tatsache bzw. Prozesse, die unabhängig von ihrer Beobachtung existieren.

- konstruktives Handlungskonzept: Handlungen sind ein ideelles Gebilde und damit ein auf das Ergebnis der Schlussfolgerung interpretiertes Konstrukt des Rezipienten; ihre Interpretation besitzt nur eine begrenzte Gültigkeit, da sie auf Vorannahmen, Wissensbestände beruhen, vor allem auf das Wissen typischer Handlungsabläufe. (vgl. ebd.)

Catherine Emmott bildete in diesem Zusammenhang den Begriff der *contextual frames* (Jannidis et al. 2005): typische Handlungsabläufe (*scripts*) sowie zusammengehörige Informationssets (*frames*) bilden ein für den Rezipienten sinnhafte Struktur. Eine **Veränderung des Rahmens** kann durch das Ab- oder Auftreten von Figuren oder Objekten der erzählten Welt geschehen, ein **Wechsel des Rahmens** wird auf die Leserlenkung auf einen anderen Rahmen vollzogen und die **Rückkehr zum Rahmen** erfolgt, wenn beispielsweise eine Benennung einer Figur erfolgt, die bereits an früherer Stelle an den Rahmen gebunden war. Die Regeln für die Rahmenfunktion basiert stets auf den Regeln der fiktionalen Welt. (vgl. ebd.)

Ein *situativer (framed) Text* bezieht sich auf einen kontextuellen Rahmen; die Sätze des Textes sind auf Ereignisse bezogen, die „zu einem spezifischen Zeitpunkt und an einem spezifischen Ort geschehen, und beschreiben nicht wiederholte oder verallgemeinerte Ereignisse." (ebd.)

Dem Leser ist so die Möglichkeit gegeben zu schlussfolgern, dass „die Sätze auf dieselbe Situation mit Kontinuität von Zeit und Raum bezogen sind und dass die verdeckten Figuren weiterhin Teil des Rahmens sind." (ebd.)

2. Wer ist die Figur?

Die Bewohner fiktionaler Welten nennt man Figuren; sie müssen nicht menschlich sein, das einzige Mindestkriterium ist der Besitz mentaler Zustände, die der Autor ihr zuschreibt. (Martínez/Scheffel 2016, S. 147)

Anhänger strukturalistischer und formalistischer Ansätze wie Propp, Greismas oder Barthes vermittelten in ihren narratologischen Studien bis ins späte 20. Jahrhundert lange Zeit die Ansicht, Figuren seien bloße Textstrukturen, die für die Gesamterzählung die Funktion der Bedeutungsvermittlung übernehmen. (Lahn/Stenzel 2013, S.235)

Doch wenn die Figur eine solche untergeordnete Rolle spielte, wie lässt sich die Leserfreude von Fortsetzungsreihen mit **wiederkehrenden** Figuren erklären (bspw. Harry Potter, Sherlock Holmes) oder die Weiterentwicklung von Nebenfiguren, die in *spin-offs* ihre eigene Hauptgeschichte erhalten (bspw. Huckleberry Finn)?

Die kognitiven Erzählforscher Bortolussi und Dixon konnten in einer ihrer Studien aufzeigen, „dass literarische Figuren im Lektüreprozess zumindest teilweise durch dieselben Inferenzprozesse[8] mental konstruiert werden, die bei der Wahrnehmung realer Personen stattfinden." (Martínez/Scheffel 2016, S. 150)

Wenn eine fiktive Figur ebenso wie eine reale Person wahrgenommen werden kann, wird die Wichtigkeit des psychologischen Aspekts von Figuren deutlicher sowie die Lesefähigkeit, mit den Figuren mitfühlen zu können (ausführlicher zum emotionalen Leseaspekt siehe Kapitel 5.2).

Einen Kompromiss zwischen der Wahrnehmung von Figuren als leblose Textmerkmale oder quasi-reale Personen fand James Phelan (2005) in seiner Unterscheidung von drei funktionalen Dimensionen, die die Figur ausmachen: (Lahn/Meister 2013, S. 237)

- *mimetische Dimension*: die Figur erscheint als Abbild einer Person
- *thematische Dimension*: jede Figur repräsentiert zugleich eine oder mehrere Gruppen oder Handlungsfunktionen, die im Dienste des thematischen Anliegens der Erzählung stehen
- *synthetische Dimension*: die Figur spielt eine besondere Rolle bei der Konstruktion der Erzählung als Artefakt

Jannidis (2004) versteht die Figur als reines Leserkonstrukt, das „sowohl von Genreaspekten als auch von alltagspsychologischen Annahmen über das Verhalten und Handeln abhängig" ist. (ebd., S. 237)

Diese „mentale Modelle" (ebd.), wie Jannidis Figuren bezeichnet, sind zwar Teil der erzählten Welt, das zuvor dafür nötige Sammeln von Informationen für die Figur erfolgt jedoch erst noch im Diskurs.

Diese sprachlichen Informationen werden dann um Personenkonzepte und kulturelles Wissen ergänzt – erst dieser Ergänzungsprozess macht die Charakterisierung einer Figur möglich.(Jannidis et al. 2005)

Zwischen dieser **Figureninformation** und der Charakterisierung liegt zunächst noch eine Zwischenebene, um den Prozess aus rein analytischen Gründen besser trennen zu können;

---

[8] aufbereitetes Wissen, das aufgrund von logischen Schlussfolgerungen gewonnen wurde (Lexikon)

ob eine solche Trennung beim Leseprozess überhaupt möglich ist, ist jedoch fraglich. (vgl. ebd.)

So werden die zugeschriebenen Informationen im *Diskurs* zunächst einmal gesammelt und und schließlich in der erzählten Welt (*Geschichte*) zu **figurenbezogenen Tatsachen:**

„Diese Tatsachen können auf ganz verschiedene Weise mit der Figur verbunden sein, sei es als Attribut des Inneren oder des Äußeren oder ihrer Umgebung, sei es kausal, weil die Figur diese Tatsache verursacht hat, sei es historisch, sei es sozial, sei es familiär (wie auch immer Familie konzeptualisiert wird) usw.". (Jannidis 2004, S. 198)

Die figurenbezogenen Tatsachen speisen also aus drei möglichen Quellen: (ebd., S.199)

1. der Zuschreibung von Figureninformationen

2. Inferenzen ausgehend von figurenbezogenen Tatsachen

3. Inferenzen ausgehend von Informationen, die im Diskurs nicht der Figur zugeschrieben worden sind

All diese Figureninformationen lassen sich im Begriff der **Figurencharakerisierung** zusammenfassen und erfolgen grundsätzlich *auktorial* durch die Erzählinstanz oder *figural* durch die redenden und handelnden Figuren. (Martínez/Scheffel 2016, S. 152)

Eine Charakterisierung kann *implizit* erfolgen, indem explizite Informationen auf die Figur schlussfolgern lassen (bspw. erkennbarer Adelsstand am Namen, erkennbare Armut an zerschlissener Kleidung) oder auch *explizit* durch Selbstcharakterisierungen von Figuren und Fremdkommentare durch andere Figuren oder den Erzähler. (vgl. ebd.) Die Aussagen einer Figur *über* eine andere Figur sind sowohl Figureninformation der beschriebenen als auch der beschreibenden Figur. (Jannidis 2004, S. 199)

Durch hinzukommende Informationen im Laufe des Erzähltextes werden die „mentalen Modelle" stets erweitert und verändert. Ob eine Figurenbeschreibung auch als **bindende** figurenbezogene Tatsache – und damit anschließend als Charakterisierung – angenommen wird, hängt von vier Dimensionen ab, die Jannidis angelehnt an das Kreuzmodell von Fricke Zymner wie folgtkonstruierte: (vgl. ebd., 201)

49

1. **Zuverlässigkeit** (siehe dazu auch *unzuverlässiges* Erzählen, S.46): Wie zuverlässig ist der Erzähler? Wenn die Quelle ihrer Zuschreibung zuverlässig ist, ist die Eigenschaft einer figurenbezogenen Tatsache bindend.

2. **Modus**: Status der Information in der narrativen Welt – ist sie faktisch, kontrafaktsich, konditional oder rein subjektiv?

3. **Relevanz**: Wie wichtig sind die Informationen für die Figur als Teil der narrativen Kommunikation?

4. **Offensichtlichkeit**: Direkte/Indirekte Zuschreibung einer Information

Wenn die figurenbezogenen Tatsachen im Zeitverlauf der erzählten Welt **stabil** bleiben, werden sie zu einem Teil der **Charakterisierung**; das Zugeständnis von Stabilität hängt nicht nur vom Text, sondern auch von historischem, kulturellen Wissen ab. (Jannidis et al. 2005)

Hierbei sind drei Punkte von besonders historischem und kulturellem Wissen:

1. Figurenmodelle

Figuren lassen sich in zwei Kategorien unterteilen: (Martínez/Scheffel 2016, S. 151)

- *Komplexität*: Eine Figur kann mehr oder weniger komplex sein. Ein kleiner Merkmalssatz macht sie flach oder einfach, eine Vielzahl und Vielfalt von Wesenszügen rund oder komplex.

- *Dynamik*: Eine Figur kann statisch oder dynamisch sein, je nachdem, wie sehr sich ihre Merkmale im Laufe der Erzählung verändern.

Beide Aspekte lassen sich miteinander kombinieren, oftmals gibt es in Erzählungen Figuren, die dazu dienen, den Protagonisten zu „formen" und die Handlung voranzubringen.

Solche Figuren, die lediglich reine Funktionsträger und „eine Idee, eine Rolle, eine Eigenschaft oder einen Wert verkörpern" (Lahn/Meister 2013, S. 239), bezeichnet man als Aktanten (siehe dazu *Handlung*, S. 48).

2. Figurale Schemata

Sie sind Figuren- oder personenbezogene Regelmäßigkeitsannahmen, die historisch und kulturell variieren. Dazu gehört vor allem die Schlussfolgerung „vom sinnlich wahrnehmbaren Äußeren einer Figur auf deren Inneres". (Jannidis et al. 2005)

(„Er sagte, er war es nicht, konnte ihr dabei jedoch nicht in die Augen sehen." – Psychologisches Wissen: Wer lügt, meidet den Blick des Anderen – Schlussfolgerung: Die Figur lügt.)

3. Situative Schemata

Situative Schemata sind das Wissen über typisierte situative beziehungsweise handlungsbezogene Konstellationen zur Inferenzbildung herangezogen (beispielsweise Dreiecksbeziehungen oder Parallel- und Kontrastfiguren). (vgl. ebd.)

Für den Leser spielen Figuren eine besondere Rolle: sie bewerten die Figur emotional sowie negativ als auch positiv und können sie oder ihre Handlungsweisen auch imitieren. (ebd., S. 229)

Hier ist *Identifikation* ein wichtiger Schlüsselbegriff; auf diesen Aspekt und die psychologische Rolle der Figur gegenüber dem Leser wird verstärkt in Kapiteln 5.2 wie auch in. Kapitel 5.4 eingegangen.

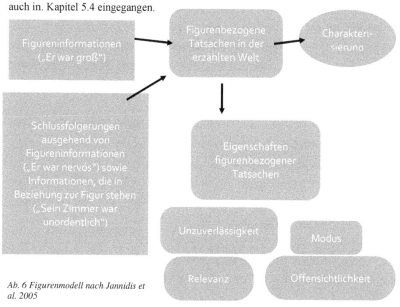

Ab. 6 Figurenmodell nach Jannidis et al. 2005

3. Raum

Der Raum einer erzählten Welt ist die Gesamtheit aller räumlichen Gegebenheiten einer erzählten Geschichte (Martínez/Scheffel (2016, S.153) sprechen hier von *diegetischer Raum*). (ebd., S.158)

Visuell lässt sich ein Raum und dessen Gesamteindruck augenblicklich erschließen; der literarische Raum kann nur sprachlich dargestellt werden und wird es überwiegend durch Raumeindrücke oder der Raumwahrnehmung des Erzählers beziehungsweise der Figur; dabei werden längere Beschreibungen von Raum und Ort häufig an menschliche Wahrnehmungen verknüpft.

Längere, reine Raumdarstellungen erfordern eine poetische Ausgestaltung, damit der Leser einen ästhetischen Wert darin sehen kann. (vgl. Lahn/Meister 2013, S.249)

Ebenso können jedoch Räume mit einer (kulturspezifischen) Symbolik versehen sein: Landschaftsbeschreibungen spiegeln oftmals auch den Seelenzustand einer Figur wider. (Hartwig/Stenzel 2007, S. 249)

Ein Raum kann erfunden oder real sein, möglich oder außertextuell unmöglich; dasselbe gilt für die Schauplätze eines Raumes, den *Orten*. (vgl. ebd.)

Da sich Zeit- und Raumwechsel meist bedingen, gehört die Raumstruktur eines Erzähltextes eng mit der Zeitstruktur zusammen; Michail Bachtin (1986) fasste dieses Phänomen unter den Begriff des **Chronotopos** zusammen: es bezeichnet „ein symbolisches Raum-Zeit-Verhältnis, über das die Beziehungen der Figuren zueinander dargestellt werden können." (Hartwig/Stenzel 2007, S. 59)

Alle Orte, in denen die Figuren und Geschehnisse der erzählten Welt agieren, befinden sich im **Handlungsraum**; der **Erzählraum** ist wiederum der Ort, von dem aus der Erzähler spricht und sprachlich handelt.

Wenn der Erzähler zugleich auch Teil einer fiktionalen Welt und sich an denselben Schauplätzen aufhält wie die Figuren seiner Welt, so wird von einem **Inklusionsschema** gesprochen. (Lahn/Meister 2013, S. 250)

Die Orte eines Raumes können in *bestimmt reale, quasi-reale, unbestimmt reale* und *fiktive* unterschieden werden. (vgl. Martínez/Scheffel 2016, S.154f.)

Verwendet der Erzähler in im Erzähltext reale (z.B. Europa, Italien, Prinzregentenstraße) oder quasi-reale Ortsnamen (z.B. *irgendwo* zwischen München und Venedig), funktionieren diese Namen als kognitive *trigger*, die das geographische und kulturelle Hintergrundwissen des Lesers aufrufen. (vgl. ebd., S.154)

Der Vordergrund der Handlung spielt meist in explizit thematischen Schauplätzen mit namenlosen oder fiktiven Ortsnamen; gebettet ist die Handlung dafür in einem unbestimmt gegebenen Hintergrundraum, der meist reale Ortsnamen hat und so eine reale Geographie suggeriert. (vgl. ebd., S.155)

Der Autor eines fiktionalen Textes hat zudem die Freiheit, mit der Realität des erzählten Raumes spielen zu können: so kann er reale Orte in fiktive Topographien setzen, reale Räume modifizieren (Beispiel: Der Roman *Fatherland* von Robert Harris (1992), der in einem von Albert Speer architektonisch umbebauten Berlin spielt, in dem der 2. Weltkrieg von den Deutschen gewonnen wurde) oder völlig fiktive Schauplätze und Räume wählen (z.B. zweidimensionale Welt). (vgl. ebd., S. 156f.)

Ebenso speziell sind geschaffene Handlungsräume, die die Handlungssequenz einer fiktionalen Welt nicht überdauern und mit nur für sie existieren – sie finden sich sowohl in mittelalterlichen Erzählungen als auch der modernen Populärliteratur. (vgl. ebd., S. 157f.)

Jurij Lotman (1974) führte den Begriff der **Semantisierung des Raumes** ein: Danach sind Räume niemals neutral oder leer, sondern stets bedeutungshafte Räume mit eigenen Gesetzen. (Hartwig/Stenzel 2007, S. 59)

Werden die Grenzen dieser semantischen Räume von einer Figur überschritten (z.B. eine Grenzen zwischen verfeindeten Familien, sozialen Schichten, Erlaubtem und Verbotenem etc.), entsteht dadurch laut Lotman ein Ereignis, wodurch ein Text *sujethaltig* (erzählwürdig) und die Figur zum Held des Textes wird. (ebd., S.60)

Der Raum erfüllt damit zwei wichtige Grundfunktionen: (vgl. Lahn/Meister, S. 252)

1. Er kann einen Hinweis auf die grundlegenden Konflikte seines Erzähltextes geben.
2. Er trägt zur Charakterisierung von Figuren bei.

4.4   Literarische Wertung

„There is no such thing as a moral or an immoral book.

Books are well written, or badly written. "

Oscar Wilde, 1890

Ist es so einfach, wie Oscar Wilde schreibt?

Gibt es literarisch „gut" oder „schlecht" geschriebene Texte? Und wenn ja, woran lassen sie sich erkennen?

Dass überhaupt Bedarf an literarischer Wertung und Selektion besteht, zeigt sich vor allem an der Masse an Büchern, die jedes Jahr herauskommen: von 2002 bis 2017 zählte der Börsenverein des Deutschen Buchhandels allein in Deutschland durchschnittlich 70.000 Neuerscheinungen im Jahr (vgl. Statista 2018), die Statistik lässt Zukunftsprognosen mit ähnlichen Werten zu.

Damit sind weder alle Zahlen aus dem deutschsprachigen Raum noch importierte Ware aus dem Ausland gedeckt, die der Leser bei Fremdsprachenkenntnissen zu Lesen fähig ist.

Da es bei diesen Zahlen unmöglich ist, alle Veröffentlichungen zu lesen, *muss* geradezu eine Auswahl getroffen werden.

Aus dieser Konsequenz heraus bildet sich der Begriff der **literarischen Wertung** sowie des **Kanons**.

Als Kanon wird „ein Corpus von Texten bezeichnet, das eine Gesellschaft oder Gruppe für wertvoll hält und an dessen Überlieferung sie interessiert ist". (Winko 2007, S. 585) Die literarische Wertung stellt dabei „die Argumentationsgrundlage, also (...) die Summe der Argumente, die dafür oder dagegen spricht, ob ein Text dem Kanon angehören sollte" (Neuhaus 2014, S. 194) oder nicht.

Diese Argumente werden zumeist an axiologischen Werten ausgemacht; verstanden werden darunter „Konzepte oder Überzeugungen, die sich auf wünschenswerte Zielzustände oder Verhaltensweisen beziehen, die situationsübergreifend wirken, die Auswahl und Bewertung von Verhalten, Ereignissen oder Objekten leiten und die nach ihrer relativen Bedeutung geordnet sind." (Rippl/Winko 2013, S. 20)

Funktionsziele eines Kanones sind die Komplexitätsreduktion, Orientierungshilfe in der Literaturmasse sowie Identitätsstiftung durch Traditionsbildung (Pfohlmann 2008, S. 52), doch er kann ebenso als kulturelles Machtmittel von Eliten oder im Gegenkanon zur Bestreitung von Macht und kultureller Gegenmacht genutzt werden. (Neuhaus 2014, S. 618)

Die Kanonbildung selbst ist ein hochkomplexer und bisher unzureichend erforschter Bereich (vgl. ebd., vgl. Rippl/Winko, S. 50); prinzipiell herrscht seit dem 5. Jahrhundert das Bestreben nach einem normativen (also allgemein verbindlichem) Kanon, eher zeichnet sich jedoch seit der Auflösung des Bildungsbürgertums ein pluraler Meinungskanon ab. (Neuhaus 2014, S.194, 198)

Um zu verstehen, warum die Bestimmung eines normativen Kanones so schwierig ist, muss dafür der Begriff der „Wertung" genauer betrachtet werden, der den Kanon überhaupt voraussetzt.

Die geläufigste und dabei sehr klare Definition ist die von Heydebrand/Winko (1996), die hier zitiert werden und an der sich anschließende Ausführungen orientieren sollen:

„Der Begriff ‚Wertung' bezeichnet „eine Handlung, in der ein Subjekt in einer konkreten Situation aufgrund von **Wertmaßstäben** (*axiologischen Werten*) und bestimmten **Zuordnungsvoraussetzungen** einem Objekt **Werteigenschaften** (*attributive Werte*) zuschreibt. Diese Zuschreibung kann in Form nicht-sprachlicher Handlungen (*motivationaler Wertung*) oder in verbalisierter Form als *sprachliche Wertung* vollzogen werden." (Heydebrand/Winko 1996, S. 39)

Die literarische Wertung bezeichnet demnach eine Handlung, in der eine Person, die im Bereich der Literatur tätig ist (Leser, Autor, Lektor, Verläger, etc.), einem literarischen Text Werteigenschaften zuschreibt.

Da in dieser Arbeit als Subjekt vor allem der Leser (sowie hintergründig der Therapeut) im Fokus steht, soll im weiteren Verlauf vor allem dieses Subjekt berücksichtigt werden.

Auf den axiologischen Wert wurde zuvor schon eingegangen. Genauer definiert bezeichnet er in dieser Hinsicht den Maßstab, der den Text oder ein Merkmal des Textes als *wertvoll* erscheinen lässt und es als Wert erkennbar macht; zudem kann er in einem gegebenen Wertsystem andere, von ihm abgeleitete Werte rechtfertigen. (vgl. ebd., S.40)

Der attributive Wert bezieht sich wiederum auf einen Text oder ein Merkmal eines Textes, dem aufgrund eines axiologischen Werts die Qualität von Werthaltigkeit zugeschrieben wird. (vgl. ebd., S.42)

Spannend sind in der Definition der Wertung vor allem die Zuordnungsvoraussetzungen, die im besonderen Maße eine mögliche Antwort auf die Vielschichtigkeit von Kanonisierungsversuchen liefert: der Begriff bezeichnet die zu erfüllenden Bedingungen, damit der Leser einen axiologischen Wert auf einen Text beziehungsweise seine Texteigenschaften beziehen kann – zu diesen Voraussetzungen gehören subjektive Erfahrungen und individuelles wie auch kollektives, konventionalisiertes Wissen der Lesenden. (vgl. ebd., S.44)

Damit zusammmen hängt auch die motivationale Zuschreibung eines attributiven Werts (Werteigenschaft).

Die motivationale Wertung manifestiert sich zumeist in der Selektion, zu denen Akte bewusster Entscheidung (z.B. Kauf eines Buches) sowie vorbewusste Selektionen durch Werte motiviert werden, die in jedem Bereich des Literaturhandelns vorkommen. (z.B. Autor bei Produktion, Leser bei Rezeption, Verleger bei Distribution, etc.) (vgl. Neuhaus 2014, S. 587)

Gerade für diese Arbeit ist besonders der Akt des Lesens und Verstehens von Texten hervorzuheben, bei dem unterschiedliche Merkmale eines Textes wahrgenommen und verarbeitet werden; auch dies ist ein Vorgang einer wertgeleiteten Selektion. (vgl. ebd., S.588)

Diese Wertschemata werden durch Sozialisierungsprozesse erworben, in die subjektive Komponenten (Erfahrungen, Dispositionen) wie auch intersubjektive Komponenten (Konventionen, Normen) einfließen; dadurch können ethische, politische, hedonistische und formal-ästhetische Werte auf den Verstehensprozess des Lesers ohne dessen Bewusstsein einwirken. (vgl. ebd.)

Gerade die motivationale Perspektive des Wertens zeigt damit, dass sie auf psychische Mechanismen zurückführen ist und daher nicht nur aus rein literaturwissenschaftlicher, sondern auch aus soziologischer und psychologischer Sicht betrachtet werden muss.(Heydebrand/Winko 1996, S. 48)

Die sprachliche Wertung wiederum wird verbal geäußert, ihre verbalisierten Wertungshandlungen ermöglichen die Zuschreibung attributiver Werte. (vgl. ebd., S.46)

Sprachliche Werte können implizit oder explizit sein; impliziten Wertungen sieht man ihren wertenden Charakter nicht an („Es ist ein sehr umfangreicher Roman"), explizite

Wertungen enthalten ein klares Werturteil („Der Roman ist ein Meisterwerk"). (vgl. Neuhaus 2014, S. 587)

Wenn das Wertungsobjekt gleich aufgefasst wird, die Wertenden sich auf dieselben axiologischen Werte und Zuordnungsvoraussetzungen beziehen und auch die axioloigschen Werte gleich gewichten werden, kann es bei der Wertung von Literatur zu einem Konsens kommen. (vgl. Heydebrand/Winko 1996, S.105-110)

Wie die hervorgehenden Ausführungen jedoch zeigen, ist eine solche Übereinstimmung nur schwer zu erreichen; sofern sich Wertende auf einem Metadiskurs nicht über die vier genannten Punkte einigen, wird eine Dissens begünstigt. (vgl. ebd., S.110)

Gerade für die Thematik dieser Arbeit ist es also durchaus möglich, dass ein Therapeut eine Geschichte mit vermeintlichem Therapiewert einem Patienten zu lesen gibt, die dieser nicht als therapie- beziehungsweise gesundheitsfördernd wahrnimmt. Ebenso könnte ein Autor seinem Werk andere Heilungswerte zuschreiben, als der potenzielle Leser beziehungsweise Patient für seine Heilung benötigt.

Dies ließe sich möglicherweise durch eine vorheriges abklärendes Gespräch in der Therapie präventieren (Welche Werke haben dem Patienten – nach seiner Erinnerung – bisher gut getan?), in dem eine bessere Einschätzung der Zugangsvoraussetzungen und Wertepriorität gewährleistet sowie die Lesererwartung und -haltung sensibilisiert werden könnte (beispielsweise durch Lektüreempfehlung des Therapeuten mit Begründung, das der Textinhalt einen Lösungsansatz für ein spezifisches Patientenproblem liefert).

Im Folgenden soll ein detaillierter Einblick auf die Maßstäbe zur Beurteilung literarischer Texte gegeben werden, wobei hier die Typologie axiologischer Werte von Heydebrand/Winko (1996) herangezogen werden soll.

Es werden formale, inhaltliche, relationale, wirkungsbezogene sowie gesellschaftliche Wertmaßstäbe unterschieden, die eine Kombinationsmöglichkeit von autonomer[9] und heteronomer[10] Wertung zulassen. (Heydebrand/Winko 1996, S. 112)

Zudem schickt sie voraus, dass derselbe axiologische Wert je nach Kontext verschieden interpretiert als auch auf einer positiv/negativ-Skala unterschiedlich zugeordnet werden kann. (vgl. ebd., S.112f.)

---

[9] Literatur ist selbstbestimmt, also zweckfrei und wurde „ihrer selbst wegen" geschrieben. Sie orientiert sich an formalen Wertmaßstäben und soll nichts sein, außer im ästhetischen Sinne gut gelungen.
[10] Literatur ist fremdbestimmt, wurde geschrieben, um einen bestimmten Zweck zu erfüllen (z.B. Erziehung des Lesers).

1. Formale Maßstäbe (vgl. ebd., S.113-119)

Die formalen Maßstäbe beziehen sich auf die Textform eines Werkes.

Selbstreferenz: Das Werk verweist auf sich selbst und möchte auch aus sich selbst heraus – nicht durch Wirklichkeitsvergleiche – verstanden und beurteilt werden. Dieser Wert entspricht der Vorstellung einer autonomen Kunst, die bereits sowohl positiv (Romantik) als auch negativ (Sozialistischer Realismus) beurteilt wurde.

Vieldeutigkeit/Eindeutigkeit: Ein literarisches Werk regt durch seine „Offenheit" den Leser zur eigenen Textdeutung beziehungsweise -interpretation. Im Gegensatz dazu steht die **eindeutige** Literatur, die als Ziel die Vermittlung einer bestimmten Botschaft verfolgt.

Offenheit/Geschlossenheit: Ein offener Text ist vieldeutig, ein geschlossener eindeutig.

Schönheit/Hässlichkeit: Diese Wertmaßstäbe reichen bis zur Antike zurück. Schönheit wird traditionell mit Ordnung, Harmonie, Vollendung, Maß und Proportion assoziiert; Werke, die diese Anforderung erfüllen, werden als formal vollkommen aufgewertet. Seit dem 18. Jahrhundert werden vor allem von den Romantikern jedoch auch Fragmente, Unordnung, Zufall oder Disharmonie als Schönheit wahrgenommen und einer Ästhetik der Hässlichkeit zugeordnet. Somit können also je nach aktuellen gesellschaftlichen Ansichten beide Begriffe mit positiven oder negativen Wert konnotiert werden.

Stimmigkeit/Unstimmigkeit: Form und Inhalt stimmen im Werk überein. Ebenso existieren Werke, die – begründet durch die Existenz einer nicht-stimmigen Realität – gezielt unstimmig gestaltet werden.

Ganzheit/Fragment: Ein Werk ist formal vollendet oder stellt einen Teil eines größeren, organischen Ganzen dar. Ebenso kann ein Werk als unvollendet gedeutet werden beziehungsweise das Fragment eines Werkes als besondere Qualität, die den Leser zur Ergänzung einlädt.

Komplexität/Einfachheit: Ein komplexes Werk zeigt eine hohe Dichte an verwendeten formalen Erzählmitteln auf, was entweder positiv (stimmiges Ganzes trotz Vielzahl an Textelementen) oder negativ (Textelemente verursachen Unüberschaubarkeit) beurteilt werden kann. Ebenso kann Einfachheit zweideutig gewertet werden (Autor gelingt mit einfachsten Mitteln und geringstem Aufwand ein würdiges Werk vs. Text ist plump).

Intensität/Dichte: Mit der Intensität beziehungsweise Dichte wird die Qualität der formalen Mittel dargestellt.

Ökonomie: Der Begriff beschäftigt sich mit dem Verhältnis von Textaufwand und -ergebnis.
Wurde der Stoff eines Werkes erschöpfend oder effizient behandelt?

2. Inhaltliche Maßstäbe (vgl. ebd., S.119-121)
Die inhaltlichen Maßstäbe können „aus allen Bereichen des menschlichen Lebens übertragen werden, für die überhaupt Werte ausgebildet werden" (ebd., S. 119) und können dadurch nicht einmal annähernd in ihrer Vollständigkeit repräsentiert werden. Folgend werden Werte aufgeführt, die traditionell als bedeutend gelten.

Wahrheit: Je nach Zuordnungsvoraussetzung kann sie religiös, historisch, gesellschaftlich, politisch, anthropologisch oder philosophisch sein. Je nach aktuellen gesellschaftlichen Ansichten – beispielsweise bedingt durch wissenschaftliche Neuerkenntnisse – ist ihr Wert wandelbar.

Moralität: Ein Werk vermittelt das moralisch „Richtige" (abhängig von Zugangsvoraussetzungen).

Gerechtigkeit, Humanität: Ein Werk vermittelt etwas Gerechtes beziehungsweise Humanitäres (abhängig von Zugangsvoraussetzungen).

Gesellschafts- und Kulturkritik: Ein Werk nimmt eine kritische (meist positiv gewertet) oder affirmative (meist negativ gewertet) Stellung zur jeweiligen Gesellschaft oder Kultur und trägt dadurch etwas zu ihrer Veränderung bei oder unterstützt den gegenwärtigen Zustand.

3. Relationale Wertmaßstäbe (vgl. ebd., S. 121-124)

Relationale Maßstäbe geben den Wert literarischer Werke im Verhältnis zu ihrer Bezugsgröße an, wie beispielsweise die allgemeine Qualität der Literatur zu einem bestimmten Zeitpunkt. (vgl. ebd., S.121)

Abweichung/Normbruch: Das Werk durchbricht zu einem bestimmten Zeitpunkt gültige Normen, weicht von alltäglichen Wahrnehmungsroutinen ab beziehungsweise hebt Sicht durch Verfremdung oder Variation von der Alltagssprache ab.

Originalität/Neuheit: Das Werk ist im Verhältnis zu bereits existierenden Werken neu, innovativ und überraschend.

Traditionelles/Bewährtes/Kitsch: Das Werk behandelt bereits Bekanntes und oftmals bewährte Themen.

Fortschritt/Emanzipation: Der Inhalt eines Werk behandelt die fortschreitende Änderung der Gesellschaft und nimmt diesen Zustand vorweg beziehungsweise fördert ihn (beispielsweise in utopischen/dystopischen Romanen).

Realismus, Wirklichkeitsnähe, Wahrscheinlichkeit: Ein Werk gibt möglichst exakt die Wirklichkeit wieder.

Authentizität: Ein Werk wird durch die Glaubwürdigkeit eines Autors (da er das Beschriebene beispielsweise selbst erlebt hat) als authentisch wahrgenommen.

Zeitgemäßheit, dokumentarischer Wert, Repräsentativität: Ein Werk dokumentiert (z.B. Krankheitsprozess) oder stellt eine bestimmte historische Situation oder Haltung oder Gruppe von Menschen zeitgemäß beziehungsweise angemessen dar.

Aktualität: Die Inhalte oder Themen (selten ästhetische Formen) eines Werkes beziehen sich auf die aktuelle gesellschaftliche Wirklichkeit.

4. Wirkungsbezogene Maßstäbe (vgl. ebd., S.124-128)

Wirkungsbezogene Maßstäbe beziehen sich sich auf den Möglichkeitsrahmen der Auswirkungen, die ein Werk auf den Leser ausüben kann. Hierbei wird von kognitiven, praktischen, affektiven sowie hedonistischen Werten ausgegangen. (vgl. ebd., S.124)

Erkenntnisbedeutsamkeit: Das Werk vermittelt Einsichten und Erkenntnisse, die für den Leser bedeutsam sind.

Reflexion: Das Werk regt zum Nachdenken an.

Entautomatisierung, Revision von Vorurteilen: Ein Werk weicht von der gewohnten Wiedergabe der Realität ab und bewirkt dadurch eine geänderte Wahrnehmung beim Leser. Dieser Effekt bewirkt im Idealfall eine Neuerfahrung auf etwas Alltägliches beziehungsweise Banales und führt bis hin zur Revision von Vorurteilen.

Lebensbedeutsamkeit: Das Werk nimmt durch veränderte Einstellungen oder Gewohnheiten Einfluss auf das Leben des Lesers.

Betroffenheit: Das Werk stellt Missstände dar mit der Absicht, den Leser zu Veränderungen in der Realität zu treiben.

Handlungsorientierung: Das Werk soll den Leser zu einer Handlung aktivieren. Dieser Wert wird in der politischen Literatur meist als positiv angesehen, in der autonomen Literaturkonzeption als negativ, da die Freiheit der Werkdeutung des Lesers eingeschränkt ist.

Sinnstifung: Das Werk bietet dem Leser einen Sinnentwurf, den er annehmen kann.

Rührung, Mitleid: Das Werk erzeugt im Leser Mitleid, das zu einer Reinigung der Affekte und inneren Läuterung des Lesers beiträgt.

Identifikation, Distanz: Der Leser identifiziert sich mit den im Werk enthaltenen Figuren. Die zeitweilige Übernahme einer fremden Identität des Lesers kann die Textwirkung intensivieren, andererseits besteht auch die Möglichkeit einer unkritischer Übernahme von Handlungs- und Rollenmodellen. Ebenso ist eine distanzierte Haltung des Lesers gegenüber einer Figur möglich.

Lust: Das Werk bereitet dem Leser geistige Lust, die je nach Zuordnungsvoraussetzung unterschiedlich ausfallen kann.

Unterhaltung/Langeweile: Das Werk unterhält den Leser und langweilt ihn nicht.

Spannung/Ruhe, Harmonie: Das Werk erzeugt durch inhaltliche und formale Qualitäten Spannung oder Ruhe und Harmonie. Die Werte können sowohl positiv als auch negativ beurteilt werden.

Sinnliche Befriedigung: Das Werk erregt im Leser angenehme Gefühle bishin zur körperlichen Lust. Traditionell wurde dieser Wert negativ beurteilt, mittlerweile wird auch die Möglichkeit anspruchsvoller erotischer Literatur eingeräumt.

(angenehmes) Grauen: Das Werk hinterlässt im Leser ein körperliches Gefühl des Ausgeliefertseins bei gleichzeitiger geistiger Überlegenheit (z.B. bei Beschreibung des Unheimlichen oder Übernatürlichen).

Gesundheit: Das Werk übt eine therapeutische Wirkung auf den Leser aus. Dieser Wert hängt von den Zuordnungsvoraussetzungen ab und ändert sich im Laufe der Literaturgeschichte; so wurden in der Weimarer Klassik Ruhe und Harmonie für positive gesundheitliche Effekte verantwortlich gemacht, in der Modernen wiederum die Disharmonie.

5. Gesellschaftliche Maßstäbe (vgl. ebd., S. 128-131)

Nützlichkeit: Das Werk gilt als nützlich, da es bestimmte Tugenden vermittelt. Der Wert ist meist mit Wahrheit oder Moralität verbunden.

Ökonomischer Wert: Ein Werk wird an seinem ökonomischen Wert gemessen. Dazu gehören Auflagenzahl, Preisgelder, Übersetzungskosten beziehungsweise jegliche Faktoren, die mit Geld messbar sind.

Prestigewert: Ein Werk wird anhand seines symbolischen Kapitals gemessen. Dazu kann das Ansehen eines Autors gehören oder das Prestige, das mit einem besonders intellektuell geltenden Werk verbunden wird.

4.5 Literarische Erzählkunst

> *„There are three points about stories:*
> *if told, they like to be heard;*
> *if heard, they like to be taken in;*
> *and if taken in, they like to be told."*
>
> Ciarán Carson, 2000

Was erwarten wir also von einer guten Erzählung? Was macht sie aus? Und welche Kriterien müssen zumindest erfüllt werden?

Eine Erzählung enthält Ereignisse, die nicht von sich alleine an den Rezipienten gelangen können; jede Geschichte braucht einen Erzähler, der ihren Inhalt an die Außenwelt vermitteln kann.

Zwei Grundelemente müssen damit mindestens gegeben sein, die aus einer Erzählung eine Erzählung machen: es existiert ein zu erzählendes Geschehen sowie ein Erzählvorgang.(Gelfert 2004, S.111)

Nach Gelfert beherrscht ein Erzähler sein Handwerk, wenn die kausale Entwicklung sowie die Reaktionsweise der Charaktere dem Leser glaubwürdig erscheinen; zudem muss die Abfolge der Ereignisse spannend sein, der Erzählstil lesbar, anschaulich und abwechslungsreich und die Sprache weder originalitätssüchtig noch abgedroschen. (vgl. ebd., S. 118)

Die formalen Qualitätsvorgaben lassen sich im fiktionalen Erzählen noch leicht umsetzen: wie schon im Laufe der Arbeit angeführt, sind die Mindestanforderungen der verschiedenen Erzählgattungen vorgegeben, die möglichen erzählerischen Darstellungsweisen einer Geschichte klar aufgeführt und die angeführten Wertekriterien dienen als hilfreiche Orientierung.

Als schwieriger gestaltet sich der Blick auf die künstlerische Qualität, das gewisse Etwas, das dazu fähig ist eine Leserschaft – noch dazu bestehend aus unterschiedlichen Individuen mit verschiedenen Interessen – für ein Werk zu überzeugen.

Die historische Erfahrung zeigt, dass Literatur mit literarischem Qualitätsanspruch an nachfolgende Generationen weitergeben wird (im Gegensatz zur Konsumliteratur, die irgendwann verschwindet), als auch, dass manche Autoren trotz perfekt beherrschender formaler Erzählkunst Platz machen müssen für Autoren, dessen Werke vielleicht in ihrem Umfang viel zu lang sind, dafür aber inhaltlich mehr Tiefe und Zeitgeist enthalten. (vgl. ebd., S.119)

An sich scheint der Handlungsaufbau einer Geschichte die Grundlage der Erzählkunst zu sein, während die tiefergehende Darstellung der Charaktere und Geschehnisse das entscheidende Kriterium für Qualität ausmacht.

Laut Gelfert (2010, S. 116) wurde der deutschsprachige Raum stark von der Romantik und Philosophie beeinflusst, womit in fiktionalen Erzählungen sinnstiftende Werte einen hohen Stellenwert haben; passend dazu setze sich vor allem die Novelle mit ihrem vorgegeben straffen Handlungslauf sowie einer erwarteten Symbolik gut durch, während sich im angloamerikanischen Raum – der wiederum stark vom Realismus beeinflusst wurde – Kurzgeschichten besonders hoher Beliebtheit erfreuen.

Prinzipiell lässt dies die Schlussfolgerung zu, dass ein maßgebendes Qualitätsurteil im deutschsprachigen Raum Novellen und sinnstiftende Werke sein könnten, während in anderen kulturellen beziehungsweise geographischen Räumen diesen Kategorien nicht der gleiche Wert beigemessen wird.

Jedoch wurde bereits festgehalten, dass sich gerade im Wertungsbereich individuelle Lesevorlieben und -wirkungen nicht pauschalisieren lassen, zudem lassen literaturtheoretische Ansätze aus der Hermeneutik oder zu Gedächtnis und Erinnerung den Gedanken zu, dass Menschen *an sich* sinnsuchende Geschöpfe sind und der Wert der Sinnstiftung somit nicht nur exklusiv für den deutschsprachigen Raum gilt (vgl. Neuhaus 2017, S. 222, 244).

Doch zurück zur Erwartung an die literarische Erzählkunst.

Die Mindestanforderung an einer Erzählung ist also ihre Geschichte, die aus einer chronologisch geordneten Sequenz von konkreten Zuständen und/oder Ereignissen besteht, die kausal miteinander vernetzt sind und auch prinzipiell in ein Handlungsschemata gefasst werden können (Martínez 2011, S. 11).

Um über das Mindestmaß hinaus zu kommen und damit Wert sowie Potenzial einer Geschichte steigern zu können, sollten ebenso die Kriterien der *Ereignishaftigkeit*[11], *Tellability*[12] sowie *Erfahrungshaftigkeit*[13] erfüllt sein.

Der Erzähler sollte sich der Gattung seines Textes bewusst sein, den Wertekriterien, die an Texte gestellt werden, ebenso aber der Wertewandlung und somit den verschiedenen Deutungsmöglichkeiten der Wertungen; er sollte wissen, welche sich in den Jahrhunderten etabliert haben und zum aktuellen Zeitpunkt relevant sind.

Wird die Definition der Erzählung somit erweitert, ist diese „die Wiedergabe vergangener oder fiktiver Ereignisse unter Berücksichtigung einer spezifischen **Struktur**, die einen zentralen, **erzählwürdigen** Aspekt einschließt". (Martínez 2017, S. 59)

Diese spezifische Struktur wurde bereits in der Antike formuliert und seitdem unter verschiedenen Begriffen bezeichnet. So finden sich unter Labov und Waletzky (1967/1973) die Begrifflichkeit *Abstract, Orientierung, Komplikation, Auflösung* und *Coda*, aber auch *Exposition, Komplikation* und *Schluss* nach Boueke (u.a. 1995). Diese Arbeit will sich als angemessene Struktur auf die Fünf-Akte-Struktur von Freytag (2012) beziehen, die das Handlungsmuster von Aristoteles erweiterte und folgend unterteilte:

1. Exposition: Alle Figuren, Orte sowie Auslöser des Konflikts werden vorgestellt.
2. Handlungssteigerung: Weitere Komplikationen verhindern die frühzeitige Auflösung des Konflikts.
3. Klimax: Der Konflikt erreicht sein Maximum, dieser Punkt stellt den spannendsten Teil der Geschichte dar.

---

[11] Geschichten verfolgen normalerweise einem erwartbaren Lauf der Dinge. Je mehr von dieser Erwartung durch überraschende und relevante Wendungen abgewichen wird, desto größer ist die Ereignishaftigkeit der Geschichte und desto interessanter wird sie für den Leser.

[12] Nach William Labov (1972, S. 370) müssen Ereignisse nicht erzielbar sein, sondern sich zu erzählen *lohnen*. Damit der Leser den Sinn der Erzählung erkennt, fügt der Erzähler seinem Text bestenfalls erklärende Bemerkungen ein, die die Sinnhaftigkeit der Ereignisse verdeutlichen.

[13] Erzählungen haben das Potenzial, die subjektive Erfahrung von Wirklichkeit darzustellen und damit ein Geschehen für den Leser erlebbar zu machen und den Leseprozess zu intensivieren (vgl. Martínez 2017, S. 8)

4. Handlungsabfall: Die Spannung baut sich langsam ab, während die Nachwirkungen des Höhepunktes deutlich werden.

5. Auflösung: Der Konflikt wird aufgelöst. (vgl. Kleine Wieskamp 2016, S.86)

Auch das Kriterium der Erzählwürdigkeit wurde in der Erzählforschung bereits vielfach diskutiert und eng mit der Bedeutung von emotional wertenden Aspekten[14] verbunden (vgl. Brinker/Gerd 2017, S. 374).

Labov (1967) versuchte das Kriterium mit den Begriffen Komplikation, Point of a story, Zielorientiertheit, Planbuch, Minimalbedingung der Ungewöhnlichkeit sowie Relevanz (vgl. Martínez 2017, S. 59) zusammenzufassen, prinzipiell ist nach neueren Ansichten die (emotionale) Reaktion und Bewertung des Rezipienten maßgebend entscheidend für die Erzählwürdigkeit der Geschichte. (vgl. Martínez 2017, S. 59, Brinker/Gerd 2017, S. 374)

Vom Erzähler selbst wird zudem eine gewisse Erzählkompetenz erwartet, auf die im Kapitel 5.3.2 ausführlich eingegangen werden soll.

Zuvor sei jedoch gesagt, dass die Kompetenz an den Grad gemessen wird, in dem „die relevanten sprachlichen Anforderungen und sprachlichen Handlungen innerhalb eines mündlichen oder schriftlichen Diskurses angemessen eingelöst werden können" (Martínez 2017, S. 59).

Die Aufgaben, die ein Erzähler unter dieser Vorstellung zu bewältigen hat, lassen sich nach Hoffmann (1989) folgend unterteilen:

1. Kommunikative Einbettung des Erzählens,

2. Etablierung und Füllung (Aktanten, zeiten, Orte) eines szenischen Vorstellungsraumes,

3. Selektion und Darstellung relevanter Handlungen (Relevanzpunktsetzung),

4. Bewertung sowie

5. Abschluss/Rückführung/Überleitung (ebd.)

Hausendorf und Quasthoff (1989, 1996) ergänzen zudem weitere Erledigungen, die zur Entstehung einer narrativen Diskuseinheit beitragen:

---

[14] Auf die Aspekte der emotionalen Wirkung literarischer Texte wird genauer in Kapitel 5.2 eingegangen.

66

„1. Darstellung von Inhalts- und/oder Formrelevanz, 2. Thematisieren, 3. Elaborieren und/oder Dramatisieren, 4. Abschließen und 5. Überleiten." (ebd.)

Neben der Erzählkompetenz sollte der Erzähler ebenso eine gewisse Fiktionskompetenz besitzen, die ein Set von Fähigkeiten im Umgang mit Darstellungsmedien beschreibt (vgl. Martínez 2017, S. 63). Da diese Kompetenz jedoch ebenso eine Grundvoraussetzung an den Rezipienten beziehungsweise Leser ist, soll darauf ausführlich in Kapitel 5.3.1 eingegangen werden.

Zusammenfassend soll noch einmal der Zusammenhang von Storytelling und Erzählkunst in Erinnerung gerufen und ihre Grundelemente aufgeführt werden:

In Kapitel 3.1.1. wurde bereits angemerkt, dass es keine einheitliche Methode des *Storytellings* geben kann. Deutlich wurde jedoch, dass auch wenn es in verschiedenen Bereichen zur Anwendung kommt, ihr Kern im Geschichtenerzählen liegt und so überwiegend der Erzähltheorie entspringt.

Nach genauerer Betrachtung der Erzähltheorie hegt das *Storytelling* einen Anspruch einer Erzählkunst, die nach dem Ziel strebt, mit Geschichten Menschen zu überzeugen. Die Erzählkunst macht sich dabei das Wissen psychologischer Forschungen zunutze, aus denen bekannt ist, dass durch Spannung und emotionale Rührung die Aufmerksamkeit des Lesers gehalten wird und dadurch die gelieferten Informationen – die eine Geschichte transportiert – besser gespeichert werden.

Jede erzählerische Handlung, in der Spannung durch Wendepunkte erzeugt wird, lässt sich auf Aristoteles' Reflexionen der Poetik[15] zurückführen; des Weiteren besteht jede Geschichte aus einem Anfang, Mittelteil und einem Ende und enthält als Konstanten stets einen Helden, einen Ort und eine Handlung (vgl. Kleine Wieskamp 2016, S.78f.) Durch den Konflikt in einer Handlung wird ein Spannungsbogen erzeugt, dessen Aufbau an der Fünf-Akte-Struktur nach Freytag deutlich wird (vgl. ebd., S.86).

---

[15] Handlung ist eine poetische Nachahmung der Wirklichkeit, die vor allem auf Läuterung und Reinigung des Menschen abzielt. Zudem unterteilte Aristoteles den Aufbau einer Geschichte in die drei Akte (1. Aufbau des Konflikts, 2. Katharsis (Wende- und Höhepunkt, 3. Konfliktlösung)

Schon in Kapitel 3.1.2 und 4.3.4 wurde erläutert, dass viele Erzählungen – untersucht von Propp vor allem an Märchen – auf einen gemeinsamen Nenner zurückzuführen sind, wodurch ein gewisses Grundmuster an Erzählgrundlagen erstellbar ist.

Der Psychoanalytiker C. G. Jung (1976) bezeichnete diese Grundmuster als Ur- beziehungsweise Archetypen, die kollektiv-unbewusste Inhalte um altertümliche beziehungsweise urtümliche Typen behandelt und auf Ur-Erfahrungen der Menschen wie Geburt, Kindheit, Pubertät, Geburt, Elternschaft, Altern und Tod beruhen (vgl. Klein Wieskamp 2016, S. 84, zitiert nach Jung 1976, S. 5).
Archetypen sollen also kulturübergreifend und allgemein gültig sein.

Auf den Theorien von Jung und Aristoteles baute Joseph Campbell (2011) eine universale Erzählvorlage auf, die er in zwölf Stationen unterteilte und ebenso kulturübergreifende Gültigkeit besitzen soll. (Campbell 2011, S. 33)

Ab. 7 Stationen der Heldenreise nach Joseph Campbell (Mueller 2016, S. 3)

https://users.informatik.haw-hamburg.de/~ubicomp/projekte/master-nm-2016-sem/mueller/bericht.pdf

Vogler (2010) wiederum konzentriert sich auf die Urcharaktere beziehungsweise -figuren, die in archetypischen Erzählungen besondere dramatische Funktionen innehaben: (vgl. Kleine Wieskamp 2016, S. 87)

- Held bzw. Antiheld: Diese Figur sagt etwas über Menschen, Leben und Gesellschaft aus.
- Mentor: Diese Figur berät und lehrt den Helden.
- Schwellenhüter: Diese Figur versucht den Helden an der Grenzüberschreitung eines semantischen Raumes zu hindern (siehe Kapitel 4.3).
- Herold: Diese Figur ist vermittelt wichtige Botschaften und ist häufig zugleich auch Mentor.
- Gestaltwandler: Diese Figur ist zwielichtig und nicht zu trauen.
- Schatten: Der Held muss die Schatten besiegen, um sein Ziel zu erreichen. Sie verkörpern das Böse sowie schlechte Eigenschaften des Menschen.
- Trickster: Diese Figur ist zum Spannungsausgleich da (in Form von Humor, Charm, List o.ä.)

Die gesammelten Ausführungen sind als Kriterien für eine idealtypische Erzählung zu verstehen sowie als Orientierungspunkt der literarischen Erzählkunst.

5 Bibliotherapie

5.1 Vorbemerkung

Spätestens seit dem 20. Jahrhundert mit Einführung der psychoanalytischen Literaturwissenschaft unter Siegmund Freud (s. Kapitel 3.2.2) nähern sich die Literatur und Psychologie immer mehr einander an.

Die potenzielle heilende Wirkung literarischer Texte findet in der Menschengeschichte immer mal mehr oder weniger Aufmerksamkeit, derzeit ist sie wieder im Aufschwung – das zeigt sich allein am gesellschaftlichen Trend der letzten 15 Jahre, kanonisierte Literatur als Medikament zu preisen (vgl. Meyer 2016, S. 439).

Während also die emotionale Wirkung von Literatur schon länger bekannt ist, so ist ihre Erforschung mehr in ihren Anfängen anzusiedeln, denn lange Zeit wurde in Studien der Schwerpunkt auf die Emotions*darstellung* und weniger auf ihre -*wirkung* gesetzt. (vgl. Anz/Huber 2007; Jannidis/Lauer/Winko 2007).

Eine psychologisch absolut abgesicherte Formulierung für den Wirkungszusammenhang von Textstruktur und Rezeptionswirkung steht noch aus (Martínez 2011, S. 73), erfreulicherweise sind die Forschungsanfänge jedoch schon gemacht.

5.2 Die (emotionale) Wirkung von Texten – Blick auf den Leser

„Schon oft hat das Lesen eines Buches
jemandes Zukunft beeinflusst."
Ralph Waldo Emerson, 1803-1882

Bevor dieses Kapitel auf die Wirkung von literarischen Texten eingeht, will es sich zunächst für ein besseres Verständnis mit den dabei ausgelösten Emotionen beschäftigen.

Die Emotionen eines Menschen sind komplexe psychische Programme zur Verhaltenssteuerung;
sie reagieren auf spezifische Umweltreize und lösen dabei bestimmte physiologische und kognitive Submechanismen aus (Martínez 2011, S. 68).
Jeder Mensch hat einen Organismus mit einem evolutionär angepasstem Verhalten, das stets nach der idealen Strategie für Überleben und Fortpflanzung strebt.

Der menschliche Organismus ist somit lernfähig, Verhaltensweisen werden jedoch nicht von heute auf morgen angepasst:

So zeigt der Mensch fehlende Furchtreaktionen, wo sie nötig wären (z.b. entspannter Umgang mit Steckdosen und Stromkabeln) und dort Furchtreaktionen, wo sie nicht angemessen sind (z.B. Höhenangst beim Klettern, obwohl man gesichert ist). (vgl. ebd.) Auch bei Filmen und Büchern reagiert der Mensch emotional, obwohl grundsätzlich das Wissen vorhanden ist, dass das, was gesehen beziehungsweise gelesen wird, nicht real ist.

Trotz seiner Fiktionskompetenz[16] empfindet er also Angst, Freude oder Liebeskummer für Figuren, die nicht existieren.

Ist das nicht eine merkwürdige Reaktion?

Bei genauerem Hinsehen auf das komplexe Emotionsgeflecht wird dieses Verhalten begreifbarer:

Die Auslösemechanismen unseres Emotionsprogrammes sind variabel und abhängig von unserer Lerngeschichte, kulturellem Kontext und Rezeptionssituation (s. Zugangsvoraussetzungen, Kapitel Wertung, sowie Kapitel Leser- und Lesepsychologie,).

Sie springen ebenso auf mediale Attrappen an, da sie gleichermaßen auf fiktionale Reize reagieren – herrscht ausreichende Kongruenz mit dem evolutionär entstandenen Auslöseschema, werden wir emotional (Martínez 2011, S. 68).

Wenn also angeborene und kulturell erlebte Emotionen des Lesers durch eine spezifische Textstruktur hervorgerufen werden, spricht man von der emotionalen Wirkung von Literatur.

Das Zusammenspiel beziehungsweise die Kommunikation von Textstruktur und Psyche gibt Aufschluss über die *emotionale* Textdeutung.

Entscheidende Einflussfaktoren der emotionalen Rezeption sind Erinnerungen, Empathie sowie das literarische Vergnügen (Lust) des Lesers. (vgl. ebd.)

Mellmann (Martínez 2011, S. 69) hebt bei der emotionalen Textwirkung besonders fünf Wirkungsbereiche hervor:

---

16 genauer dazu siehe Kapitel 5.3.1

1. Lust an narrativen Formaten
2. Verstärkte Attrapenwirkung durch Fokalisierung
3. Soziale Emotion in Bezug auf die narrative Instanz des Erzählers
4. Angeleitete Empathieprozesse und emotionales Lernen durch narrative Präsentation von Emotionen
5. Stimmungseffekte durch die Gestaltung der Erzählperspektive

Sie geht davon aus, dass narrative Texte „erfahrungshafte" Formate seien und gegenüber nicht-narrativen Formaten bevorzugt werden.[17]
Bereitet ein literarischer Text Lust, trägt er zur Unterhaltung und zum Vergnügen des Lesers bei; dieser Effekt kann durch weitere angeborene Präferenzen verstärkt werden, wie anthropomorphe Fokalisierungsstrategien (die die Erfahrungshaftigkeit des Erzähltextes stärken) oder ein evolutionär verankertes Plot-Schemata. (Mellmann 2010, S. 124)

Weiters geht Mellmann davon aus, dass für eine effektive Leserstimulation der Grad an Erfahrbarkeit einer Textstruktur ausschlaggebend ist.
Hier macht in der Texpräsentation *showing vs. telling* (s. Kapitel 3.1.2., S.14) den Unterschied:
Während das *telling* eine nicht-fokalisierte, propositional strukturierte Erzählung vermittelt und dadurch emotional meist blasser erscheint (wenn auch prinzipiell die reine Nennung von Sachverhalten beim Leser Imaginationsprozesse auslösen können), zielt das *showing* auf eine gezielte Auswahl und Perspektivierung von Details ab; diese Methode gibt dem Leser mehr Zeit zur Entfaltung seiner Reaktion und ermöglicht dadurch „überhaupt erst eine schema-kongruente Darbietung der relevanten Auslösereize (Martínez 2011, S. 69).
Während fokalisierte Erzählungen eine Illusion der Quasi-Erfahrung vermitteln und so Emotionen in den Vordergrund rücken, treten bei nichtfokalisierten Erzählungen eher sozial adressierte Emotionen in den Vordergrund. (ebd.)

---

[17] Diese Annahme beruht auf der Vermutung, dass Menschen eine evolutionär verankerte Präferenz der Informationsaufnahme in sich haben, die auf einer perspektivierten Abfolge von Ereignissen beruht (vgl. Martínez 2011, S. 69)

Sozial adressierte Emotionen (Sympathie/Antipathie, Mitleid, Bewunderung, Zorn, Humor, Liebe) bezogen auf den Autoren oder die Figur sind Teil jeder Kunstrezeption. In Erzähltexten stellt die Erzählinstanz ein zusätzliches Objekt sozialer Emotionen dar; geht ihre Präsenz nicht über die Funktion der Stimme hinaus, ist die emotionale Reaktion des Lesers dementsprechend gering.

Je kommentierfreudiger der Autor die Meinungen und Gefühle dieser Vermittlerfigur gestaltet, desto stärker wird auch die emotionale Auseinandersetzung mit ihr ausfallen. (vgl. Martínez 2011, S. 69)

Jede Textinstanz – sei es Figur, Erzähler, Autor oder sonstige personale beziehungsweise quasipersonale Instanz – hat das Potenzial, den Leser zur Empathie anzuregen.

Empathie ist eigentlich *keine* emotionale Reaktion, vielmehr ist sie eine komplexe kognitive Leistung des Lesers, bei der er den Gemütszustand der Instanzen mental simuliert. Damit trägt sie wesentlich zur emotionalen Wirkung von Texten bei: die literarische Präsentation von Emotionen wirkt bei der kulturellen Codierung von Emotionen mit – und helfen dem Leser beim emotionalen Lernen und Erleben. (vgl. Martínez 2011, S. 70)

Auch wenn somit alles darauf hindeutet, dass das Lesen zur Steigerung der Empathiefähigkeit beiträgt, ist es in der Forschung immer noch umstritten (Keen 2007, S. 16-26).

Doch wie viel Empathie ist überhaupt bei einem Rezeptionsakt möglich?

Das hängt vor allem von der Empathiefähigkeit des Lesers ab, von der Art der Darbietung empathierelevanter Emotionen und wie stark die Ähnlichkeitsrelation zwischen Leser und potenziellen Empathieobjekten ausfällt. (vgl. ebd.)

Im Idealfall empfindet der Leser Sympathie zum Objekt und das Verhalten wird positiv wahrgenommen. Dies kann durch das *Mentalisieren* einer Figur (z.B. erlebte Rede) oder erfahrungshafte Formate (siehe Punkt 2) verstärkt werden. Bei einem positiven Helden fällt die Sympathie meist stärker aus als bei einem Antihelden, das Verhalten wird eher bewundert, geschätzt, moralisch gebilligt oder verstanden – zudem scheint es hilfreich zu sein, wenn die Überzeugungen des Lesers mit den vermittelten Überzeugungen des Textes übereinstimmen . (vgl. ebd.)

Mellmanns letzter Punkt bezieht sich auf die Emotionen zur erzählten Welt, dem Erzähler und implizierten Autor, die je nach erzählerischem Mittel unterstützt oder gar vereitelt werden können. Durch die Gestaltung der Wahrnehmungsperspektive hat der Autor die Macht, entweder einen emotionalen Stimulus (z.b. durch perspektivoffene Rundschauen über eine Stadt, erzählerische „Kamerafahrten" über einzelne Schauplätze als zusätzlichen emotionalen Reiiz) oder Verstörung und Orientierungslosigkeit (z.B. durch Verweigerung einer Fokalisierungsposition des Protagonisten bei einer biografischen Erzählung) im Leser hervorzurufen; begünstigt wird dies Möglichkeit durch die Tatsache, dass der Leser die Wahrnehmungsinstanz (Kamera, *focalizer*) selten von der Stimme (Erzähler) unterscheidet und meist als eine einheitliche Instanz wahrnimmt. (vgl. Martínez 2011, S. 70)

Da der Begriff der Spannung und Rührung bereits mehrmals fiel und ein wichtiger Aspekt bei der Rezeption von literarischen Texten ist, soll ihnen hier auch Aufmerksamkeit geschenkt werden, während in Kapitel 4.5. bereits Strategien des Spannungsaufbaus durch Informationsaufschub thematisiert wurden (Aristoteles Poetik, Campbells Heldenreise).

Das Zurückhalten an Informationen kann für den Leser jedoch nur als spannend empfunden werden, wenn diese für ihn in irgendeiner Form hervorgehobene Relevanz besitzen. (vgl. Martínez 2011, S. 71)

Es wird davon ausgegangen, dass der Mensch nicht nur eine Disposition zur Neugierde und dadurch ein Grundinteresse an den weiteren Verlauf einer Geschichte hat, zudem hat er in sich vermutlich biologisch begründete Präferenzen, was in einer Geschichte geschehen und nicht geschehen soll. (vgl. Anz 1998, S. 168)

Zu diesen Präferenzen, die sich auch in den Spannungsbögen fast aller fiktionalen Handlungen finden, gehören **Überleben, soziale Bindung, Gerechtigkeit, sozialer Status, Fortpflanzung** sowie **Ankunft/Heimkehr**. (vgl. Martínez 2011, S. 71)

Führt ein Handlungsverlauf zu einem Ereignis, dass die instinktiven Präferenzen des Lesers positiv (z.B. Hochzeit, Heldenrückkehr) oder negativ (z.B. Tod einer Figur) behandeln und werden sie zudem noch durch narrative Dehnung des Entscheidungs- oder Anerkennungsmoments in ihrer Wirkung verstärkt, löst dies beim Rezipienten *Rührung* aus; er reagiert mit stark mentaler Absorption (die außerliterarische

Wirklichkeit wird ausgeblendet) und mit physischer Beklemmung, Atemstockung oder Tränenfluss (vgl. ebd.)

Da emotional intensive besser als emotional weniger bedeutsame Erlebnisse erinnert werden, lässt sich erwarten, dass „stark emotionalisierte Dichtung nicht nur den Grad an Immersion in die literarische Illusion während der Lektüre, sondern auch die Einprägsamkeit der gelesenen Sachverhalte steigern". (ebd.)

Dieser vor allem in der Psychologie anerkannte Zusammenhang ist vermutlich dem menschlichen Lernmechanismus verschuldet, in intensiven Situationen – wie stark emotionale – möglichst viele Informationen abzuspeichern.

Stark emotionalisierte Textlektüre kann also zum einschneidenden Erlebnis für den Leser werden und sein weiteres Leben – seine Biografie, emotionales Verhalten und gar seine Überzeugungen – maßgeblich prägen und verändern. (vgl. ebd.)

5.3   Bedingungen/Voraussetzungen der literarischen Heilung

5.3.1   Blick auf den Leser

> *„Hungriger, greif nach dem Buch: Es ist eine Waffe!"*
>
> Bertolt Brecht (1898-1956)

Damit es überhaupt zu einer emotionalen – und darin inbegriffen auch heilenden – Wirkung von Literatur kommen kann, ist eine vom Rezipienten allgemein herrschende Leselust am narrativen Text unabdingbar.

Ohne diese Grundvoraussetzung, die noch vor der eigentlichen Leser-Text-Kommunikation beginnt, kann das Werk seine Wirkung nicht entfalten.

Welche Faktoren sind es aber, die bei der Entwicklung eines Menschen dabei eine Rolle spielen, ob er das Lesen als Last oder Freude empfindet?

Laut Polt (1986, S. 29) könne aus Sicht der Pädagogik von einer „Buchreife" gesprochen werden, sofern innerhalb von 30 Minuten mindestens 15 Seiten eines altersentsprechenden Textes gelesen werden können. Untersuchungsergebnisse der Lesegeschwindigkeit bei Unterhaltungslektüre variieren, bei „normaler" Lesefähigkeit wird ein Richtwert von etwa 200 bis 300 aufgenommenen Wörter pro Minute angegeben (vgl. Zielke 1991, zitiert nach Werder et al, S. 14).

Doch wie auch immer das Mindestmaß angemessener Lesekompetenz aussieht: Tatsache ist, dass aus mangelnder Lesetechnik auch ein mangelndes Lesevergnügen resultiert. (vgl. Poll 1986, S. 29)

Die Leseerziehung beginnt bereits im familiären Rahmen durch das eines „positiven Leseklimas": durch lesende Vorbildfunktion (beispielsweise durch die Mutter), Vorlesen, Buchgeschenke und Gespräche[18] über Gelesenes wird die Lesemotivation deutlich gefördert (vgl. Werder et al. 2001, S. 101).

Sofern eine fehlende oder unzureichende häusliche Lesesozialisation herrscht, sehen sich Grundschulen noch durchaus in der Verpflichtung, diesen Mangel durch Vermittlung von Leselust auszugleichen; spätestens ab den Sekundarstufen werden literarische Texte anhand ihrer formalen Bildungskriterien verarbeitet, was die Lesefertigkeit, jedoch nicht die Lust am Lesen trainiert. (ebd., S. 102)

Der Leseprozess an sich ist ein sehr komplexer Vorgang, der vom Wort- zum Satz- hin zum Textverstehen führt.

Wie bereits im Laufe der Arbeit herausgearbeitet wurde, kommunizieren Leser und Text miteinander; die Kommunikation ist meist dann gestört, wenn die Erwartungen, die der Leser auf den Text projiziert, nicht erfüllt werden können. Als Folge wird der Text für den Leser bedeutungslos oder nicht zugänglich (ebd., S. 108), was zumeist nichts mit dem Textinhalt zu tun hat, sondern mit einer schwer verständlichen Ausdrucksweise oder auch der Form des Textes. (vgl. Langer et al. 1993, S. 10, zitiert nach Werder et al. 2001, S. 108)

Um solche Schwierigkeiten zu vermeiden, wurde das *Hamburger Verständlichkeitsmodell* [19] entwickelt, das auf Basis empirischer Untersuchungen folgende Kriterien als Leitfaden für eine bessere Textverständlichkeit evaluierte (vgl. Wolfsberger 2016, S. 222; vgl. Werder et al. 2001, S. 108):

---

[18] nicht nur in der Familie, auch mit Freunden
[19] siehe dazu: Langer, Inghard; Schulz von Thun, Friedemann; Tausch, Reinhard: Sich verständlich ausdrücken. Ernst Reinhardt Verlag: 2011.

- Ein Text ist **einfach**, wenn er klar und kurze Sätze enthält (höchstens 20 Wörter) und die Wortwahl möglichst verständlich ausfällt (nah an Alltagssprache)

- Ein Text ist **prägnant**, wenn er aktive Sätze, viele lebendige Zeitwörter und keine überflüssigen Satzteile und Wörter enthält

- Ein Text ist **strukturiert**, wenn er Absätze, aussagekräftige Überschriften, Hervorhebungen enthält als auch einzelne Sätze sinnvoll miteinander verknüpft

- Ein Text ist **reizvoll**, wenn er bildhafte Metaphern, Vergleiche, Nennung von Menschen, Erfahrungen, wörtliche Rede etc. enthält.

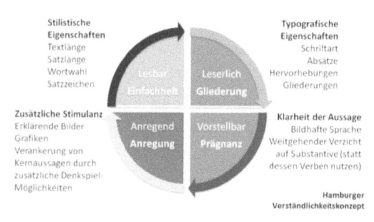

Ab. 7: Goblirsch 2017, S. 9

Beim Lesen von fiktionalen Texten braucht es von Seiten des Lesers keine besondere Lesetechnik.

Jedoch ist eine gewisse Fiktionskompetenz für ihn beim Lesen unumgänglich.

Die Fiktionskompetenz beschreibt die Fähigkeit, mit nicht wirklichen Inhalten in Darstellungsmedien angemessen umgehen zu können.

Gerade literarische Texte, mit dessen Umgang sich diese Arbeit beschäftigt, sind Werke der Fiktion, mit denen der Leser konfrontiert wird.

Der Autor eines literarischen Werkes nimmt stets produktiv an der Kommunikationsform der Fiktion teil, der Leser rezeptiv (vgl. Martínez 2011, S. 65).

Die Fiktionskompetenz entwickelt sich schon im Kindesalter durch „Als-Ob"-Spiele (z.B. durch Rollenspiele, Geschichten ausdenken) und wird so sozialisatorisch im Laufe des Lebens erworben.

Dieses Als-Ob-Handeln ist eine unabdingbare Kompetenz für erzählliterarische Fiktionen: „man erzählt, als ob man von wirklichen Sachverhaltsabfolgen berichtet (Produktionsperspektive) und man liest entsprechend, indem man so tut, als ob man eine Erzählung von wirklichen Sachverhaltsabfolgen aufnimmt (Rezeptionsperspektive)." (ebd.)

Der Leser reagiert dabei auf textinterne sowie externe Fiktionssignale und baut darauf seine Rezeptionshaltung auf: das kann die Kenntnis über ein Textgenre sein oder auf inhaltlicher Ebene übernatürliche Fähigkeiten einer Figur. (vgl. ebd.)

Wie wichtig die Fitkions-Realitäts-Unterscheidung für den Leser ist, zeigt sich durch fiktive Realitätssignale in Texten, um über ihren Fiktions-Status hinwegzutäuschen: bei angemessener Verbindungsherstellung des Lesers von Fiktion und Alltagsrealität „kann die Identifikation mit literarischen Protagonisten als eine Art Probehandeln in prospektiver Anwendung auf die eigenen Lebenswirklichkeit aufgefasst werden" (ebd., S. 66), bei zu starker Fiktions-Realitäts-Verbindung können „aus fiktionalen Darstellungen unzulässig realitätsinadäquate Informationen in das Weltwissen übernommen werden" (ebd.) – als Extrembeispiel können hier die Suizidfälle dienen, die aus völliger Empathie mit der Romanfigur Werther begangen worden sind. (vgl. Heimes 2017, S.)

Abgesehen von diesem Extrembeispiel fördert das Lesen fiktiver Literatur die Fiktionskompetenz und damit eine angemessene Fiktions-Realitäts-Verbindung, die auf individueller Ebene zur positiven Veränderung beitragen kann; die Weiterentwicklung der eigene Persönlichkeit setzt meist ein einen fiktiven Als-Ob-Entwurf eines zukünftigen Identitätsprojektes voraus. (ebd.)

Wie schon in Kapitel 3.2.2 angeführt, wurde unter Hans E. Giehrl Versuche einer Lesetypologie gestartet, die das Ziel verfolgten, allgemeine Lesepersönlichkeiten definieren und ihnen Lesehaltungen zuordnen zu können.

Dass diese Zuordnungen jedoch aufgrund der Individualität eines jeden Lesers nicht haltbar sein können, sollte sich bereits im Laufe der Arbeit herauskristallisiert haben.

Lohnenswerter ist hier der Blick auf die Lesebiographie eines einzelnen Lesers, um sein Leserverhalten besser einschätzen zu können.

Wer hat ihm das Lesen beigebracht? Welche waren die ersten Bücher, die ihn beeindruckt haben?

Die Beschäftigung mit der eigenen Lesebiographie gibt nicht nur Reflexionsmöglichkeit über die eigene Entwicklung und die Bewusstmachung von wichtigen Büchern oder Textstellen (vgl. Heimes 2017, S. 29), die mit einer starken emotionalen Erinnerung verknüpft sind, sie gibt ebenso dem Fragesteller und im Falle der Bibliotherapie dem Therapeuten die Möglichkeit, effektivere Lektüreempfehlung leisten zu können.

Heimes (2017, S. 30) entwarf zu diesem Zweck einen Fragebogen zur eigenen Lesebiographie.[20]

Sich der eigenen Lesebiografie bewusst zu sein, ist bei der Suche nach einer Lektüre, die Freude bereiten und ins Geschehen hineinziehen soll, von unschätzbaren Wert.

Doch Lesevorlieben sind so unendlich wie die Anzahl an potenziell lesbaren Büchern und Texten.

Zudem können Kinder und Jugendliche oft gar nicht sagen, welche Bücher bisher dafür geeignet waren und zukünftig ereignet scheinen und selbst Erwachsene sind nicht jederzeit reflexions- und lesefähig:

Gerade Leser mit einer psychischen Krankheit (z.B. Depression) haben eine phasenweise bedingt geminderte Aufnahmefähigkeit und sind meist – je nach Krankheitsstadium – nicht in der Lage, bestimmte Texte zu lesen, geschweige denn sie auszuwählen. (vgl. Heimes 2017, S. 35f.)

Gerade in solchen Fällen zeigt sich die Wichtigkeit einer passenden Lektüreempfehlung.

Doch wie empfiehlt man das richtige Buch?

Worauf ist bei der Empfehlung besonders zu achten?

---

[20] s. Kapitel 6.2

5.3.2 Blick auf den Therapeuten

„Wenn die Liebe ein Medikament wäre - der Beipackzettel wäre ein dickes Buch. "

Ernst Ferstl (*1955)

Im Falle der Bibliotherapie stellt der Leser meist einen psychisch kranken Menschen dar, der Hilfe benötigt. Wird dem Patienten eine Lektüreempfehlung gegeben, so findet sich auf der Seite des Ratgebenden der Therapeut.

Die Empfehlung eines Buches verlangt Leseaffinität, ein großes Einfühlungsvermögen und erfordert ähnliche Regeln wie bei der Verschreibung von Medikamenten: der Therapeut sollte bei der Lektüreempfehlung Auswahl und Dosis beachten.

Konkret kann er sich dabei an folgende Eckpunkte halten (vgl. Heimes 2017, S. 35f.):

- Das Buch sollte genügend Problembewältigungsstrategien und Lösungswege anbieten, damit es dem Leser leichter fällt, sich für die passende Strategie zu entscheiden
- Das Buch sollte eine möglichst wertfreie Haltung präsentieren und – wenn möglich – humorvoll sein
- Das Buch sollte dem Leser ermöglichen, sich mit dem Umfeld, der Handlung und den Charakteren zu identifizieren und deren Beweggründe nachvollziehen zu können

Zudem muss abgeklärt werden, in welcher Verfassung der Patient sich in seiner aktuellen Situation befindet: Ist er emotional überhaupt gerade lesefähig? Hat er zurzeit genügend Konzentration für längere – und vielleicht auch schwierigere – Texte? Ist ihm bewusst, dass die Lektüreempfehlung lediglich zur Unterstützung dient und kein Anzeichen von „Abschiebung" seitens des Therapeuten darstellt? (vgl. ebd., S. 36)

Aus der Erzähltheorie (s. Kapitel 4.5) ist bereits bekannt, dass als Mindestvoraussetzung das Buch eine plausible, logische Handlung und nachvollziehbare Reaktionen der Protagonisten haben sollte – für bibliotherapeutische Zwecke besteht noch ein ergänzender Idealfall, sofern die Verschiedenheit der Menschen in achtsamer und wertschätzender Weise präsentiert werden und die behandelten Probleme zudem als überwindbar dargestellt werden. (vgl. ebd.)

Sofern ein Patient allgemeine Leseschwierigkeiten besitzt, kann der Therapeut seine Rolle bis hin in den didaktischen Raum erweitern; in der amerikanischen Forschung wurde bei der Untersuchung von Problemen zum Textverstehen erkannt, dass Lesen und Schrieben eng miteinander verbunden sind und daher Schreibübungen (z.B. Freewriting) auch die Lesekompetenz steigern können (vgl. Werder et al. 2001, S. 109f.).

(Die Möglichkeit dieser Hilfestellung führt weiter zu der Fragestellung, wo die Aufgabengrenzen eines Bibliotherapeuten liegen: Hat er auch eine lehrende Wirkung zu erfüllen, sofern das Textverständnis eines Lesers unzureichend ist?)

Ebenso wie Leser und Autoren sind auch dem Therapeuten die Kenntnis einer Erzählkompetenz vorausgesetzt.

Gemeint ist damit das konzeptionelle Begreifen des Erzählens, bei der Empfehlung sollte ihm also die Aspekte einer idealtypischen Erzählung – Struktur, Erzählwürdigkeit, emotionaler Aspekt – geläufig sein (s. Kapitel 4.5).

Gerade bei der Erfragung der Lesebiografie kann es für den Therapeuten sehr hilfreich sein, die klassische Erwerbsentwicklung von Erzählfähigkeiten zu kennen:

Das Berichten von vergangenen Ereignissen und Erlebnissen zwischen Mutter und Kind sowie die Rezeption narrativer fiktionaler mündlicher[21] und schriftlicher Texte gilt als Ursprung narrativer Strukturen (Martínez 2011, S. 60).

Zwischen dem 3. und 5. Lebensjahr entstehen längere und komplexere Erzählfähigkeiten des Kindes; hier sind Erzählungen unverbundener – höchstens linear aneinandergereihter – Ereignisse ohne Konfliktstruktur üblich, der erwachsene Zuhörer fungiert dabei als Impuls- und Strukturgeber; mit etwa vier Jahren differenzieren Kinder fiktiv-fantastische von realen Elementen, Fünfjährige vermischen diese Elemente wieder. (vgl. ebd.)

Mit der Einschulung beziehungsweise um das 7. Lebensjahr herum können Kinder meist längere Phantasiegeschichten (Reihenerzählungen, keine strukturierte Höhenerzählung) erzählen, sie trennen zudem wieder Fiktions- und Realitätselemente zuverlässig und die wachsende Entwicklung von Erzählstruktur und -länge ist mit langsamer Einführung von Aktanten, Ellipsen, Paraphrasen etc. beobachtbar.

---

[21] Martínez sieht eine mündliche Erzählung hier ebenso als Textform.

Gerade am Ende der Grundschulzeit sind fast alle Kinder fähig, eine Erzählung mit Exposition, Komplikation und Auflösung zu produzieren – bis ins Erwachsenenalter lassen sich stetige Ausdifferenzierungen beobachten, was vor allem „die sprachlichen Mittel, die globale Strukturierung und die Diskurseinbettung betrifft". (Martínez 2011, S. 60)

Man kann davon ausgehen, dass der individuelle Stand der Produktionsfähigkeit mit der Rezeptionsfähigkeit gleichzusetzen ist – so scheint dieses Wissen vor allem bei der Arbeit mit Kindern und Jugendlichen besonders nützlich, gibt aber ebenso Aufschluss, sofern Leseschwierigkeiten bei Erwachsenen bestehen.

Ohlhus und Stude (2009) plädieren für eine ressourcenorientierte Erzähldidaktik, da man bei der Entwicklung der Erzählkompetenz davon ausgeht, dass sie sich proportional zur Menge des narrativen Inputs verhält (Martínez 2011, S. 61f.).

Um Kinder wie Erwachsene gleichermaßen zum Lesen anzuregen, bieten sich – wie oben bereits angedeutet – Techniken des kreativen Schreibens an; Clustern, aktive Imagination oder auch Freewriting dienen der Vorstellungsaktivierung und können sich auch zur Einstimmung auf einen literarischen Text anbieten (vgl. Werder et al. 2001, S. 142f.)

Im Zweifelsfall kann ein Leser einer Lesehemmung gegenüberstehen – gerade bei Patienten kann diese Blockade zum Selbstschutz dienen; vielleicht aus Angst, vor der Auseinandersetzung eines problematischen Themas zu stehen und konfrontiert mit dem Widerstand, sich diesem noch nicht öffnen zu wollen.
Hier bieten sich ebenso Hilfestellungen aus dem didaktischen Bereich an, um auf Spurensuche zu gehen: sofern der Patient (noch) nicht bereit ist, die Problematik mit dem Therapeuten zu besprechen, besteht die Möglichkeit, ein selbst geführtes schriftliches Gespräch mit seinem inneren Kritiker zu suchen oder erneut in die eigenen Lesebiografie reinzuhorchen. (vgl Werder et al. 2001, S. 144f.)

Abschließend sei darauf aufmerksam gemacht, dass der Bibliotherapeut meist in erster Linie ein *Therapeut* ist – die Arbeit mit Lektüre wird meist nur als begleitende Maßnahme in Kombination mit Psychotherapie angewendet (vgl. Heimes 2017, S. 17), sofern Leseblockaden oder -hemmungen vorhanden sind, ist der Therapieverlauf also nicht von einer aufbauenden Lesekompetenz abhängig.

Ebenso sei betont, dass die Wirkung heilender Literatur stets den Willen an allgemeiner Leselust voraussetzt; Leseschwierigkeiten jeglicher Art können und sollen nur bearbeitet werden, sofern eine grundsätzliche Annahmebereitschaft des Patienten vorhanden ist, sich helfen zu lassen.

Der Blick dieses Kapitels auf die lesefördernde Hilfestellungen versteht sich als *theoretische* (und nicht verpflichtende), ganzheitliche Idealvorgehensweise zur Konsumförderung heilsamer literarischer Texte.

5.4 Anwendung literarischer Heilung – Blick auf die Bibliotherapie

Je mehr ich las, umso näher brachten die Bücher mir die Welt,
umso heller und bedeutsamer wurde für mich das Leben. "

Maxim Gorki (1868-1936)

Die Bibliotherapie nutzt die heilende Macht der Worte.

Wie bereits in Kapitel 3.2.1 angeführt, geht ihre Geschichte weit zurück: schon in den Anfängen der Menschengeschichte wurden Gesang, Gebet und Dichtung als Heilmittel von Schamanen und Medizinmännern genutzt, in der Antike wurde Apollo als Gott der Heil- *und* Dichtkunst verehrt, aus derselben Zeit stammt die Katharsis-Lehre von Aristoteles sowie die „Trostliteratur", die gezielt für Menschen in Not, Leid und Verzweiflung geschrieben wurde. (vgl. Petzold/Orth 2015, S. 22-25)

Dem Beispiel der Bibliothek von Alexandria als „Heilstätte der Seele" (Pape 2002, S. 18) folgend, bildeten sich Bibliotheken in Psychiatrien, Krankenhäusern und Gefängnissen, um den dort ansässigen Menschen mit Büchern Linderung zu schaffen.

Bereits Mitte des 19. Jahrhunderts in einer Art Blütezeit der Bibliotherapie, beschäftigten sich Benjamin Rush (1812) und später John Minston Galt (1847) mit der Wirkung literarischer Texte auf psychisch Kranke und kamen in ihren Hauptfunktionen auf ähnliche Punkte:

1. Lesen lenkt von krankhaften Gedanken ab.
2. Lesen dient als Zeitvertreib und Aufheiterung.

3. Lesen dient zur Informationswiedergabe.

4. Durch das Leihen von Büchern kann das Anstaltspersonal das Interesse am Wohlergehen des Patienten demonstrieren.

5. Lesen verbessert die Therapiebereitschaft. (vgl Petzold/Orth 2015, S. 30, Meyer 2016:, S. 535)

Die Macht der Worte, mittlerweile also schriftlich eingefangen in literarischen Werken, erklärt sich Rosenblatt (1938) durch den emotionalen Einfluss, der genauso stark sein kann wie der von lebendigen Menschen oder realen Situationen; Maslow (1954) wiederum sieht vier von sechs menschlichen Grundbedürfnissen von der Bibliotherapie gedeckt (Zugehörigkeit, Wertschätzung, Selbstverwirklichung, kognitive Bedürfnisse), was die große Wirkungsvielfalt von Literatur nahelegt. (Petzold/Orth 2015, S. 110)

Die Phasen, die der Leser bei der Literaturlektüre durchläuft, sind im Wesentlichen dieselben[22] der Psychotherapie:

1. Identifikation

2. Projektion

3. Abreaktion,

4. Katharsis und

5. Einsicht. (Petzold/Orth 2015: 111)

Unter diesem Aspekt ist eine Kombination aus Lese- und Gesprächtherapie zielführend. Wird die Literatur für den Leser passend ausgewählt, kann es im Idealfall zur Katharsis kommen, sofern der Leser auf sein imaginäres Gegenüber (Identitätsthema, s. Kapitel 3.2.2.) mit Identifikation und Projektion reagiert; darauffolgend – auch unterstützend durch ein Gespräch mit dem Therapeuten – entsteht eine Einsicht, das Hauptziel der Bibliotherapie, die zu Einstellungsveränderungen führen kann. (Petzold/Orth 2015, S. 113)

Diese Einstellungs- und zum Teil gar Verhaltensänderungen wurden bereits durch einige Untersuchungen belegt.

---

[22] Beim Buchlesen können die Phasen jedoch in willkürlicher Reihenfolge auftreten und müssen auch nicht immer vorhanden sein (Shrodes 1950)

So konnte Jackson (1944) beweisen, dass unter dem Einfluss von Literatur stereotypische, vorurteilsbehaftete Einstellungen von kaukasischen Jugendlichen gegenüber Afro-Amerikanern signifikant verändert werden konnten, wenn auch nicht dauerhaft; ähnliche Untersuchungsergebnisse zur Einstellungs- und Verhaltensänderung durch Literatur lieferten Agnes (1947), Carlsen (1948) wie auch Alexander/Boggie (1967).

Carlsen fügt auf Berufung der Ergebnisse ergänzend hinzu, dass Vorurteile nicht intellektuell sondern emotional geprägt seien und daher auch emotional beeinflusst werden müssen, wofür sich die Bibliotherapie besonders eigne. (vgl. Petzold/Orth 2015, S. 115f.)

Die Bibliotherapie lässt sich in unterschiedlichen Modellausführungen anwenden.
Nach Rubin (2015, S. 125) ist die Gruppen-Bibliotherapie die bisher verbreiteste und auch effizienteste Form.
Prinzipiell sind aber alle Vorgehensweisen denkbar, bei denen literarische Texte für Heilungszwecke rezipiert werden: von individueller Leseberatung zur einmalig verordneten Lektüre, Bücherwagen-Service verschiedener Institutionen oder gar spezielles Bibliographieren.[23] (vgl. ebd.)
Therapeuten arbeiten in der Bibliotherapie sowohl in Team- als auch Alleinarbeit, lesen das Material selbst vor oder lassen es einen Klienten vor oder während der Sitzung lesen, zudem werden auch Schreibtechniken kombinierend angewendet. (vgl. Petzold 2015, S. 127)

Allgemein widmet sich die Bibliotherapie sowohl im deutschsprachigen als auch anglo-amerikanischem Raum Klienten – Kindern wie Erwachsenen -, die lesen können, einen zumindest durchschnittlichen IQ aufweisen und die Fähigkeit zu verbalem Ausdruck und Verständnis besitzen. (ebd., S. 120)
Sofern beim Klienten jedoch der Wille zur Leselust besteht, spricht nichts gegen eine bibliotherapeutische Behandlung von Menschen, die aufgrund unterschiedlicher Beeinträchtigungen Leseschwierigkeiten haben; je nach Schweregrad müssen entweder weitere Therapeuten (Logopäden, Mediziner, Co-Therapeuten), audiovisuelle Medien oder Bücher mit geringem Wortschatz hinzugezogen werden (vgl. ebd., S. 121).

---

[23] z.B. Suchmaschinen mit Beständen, die speziell auf heilende Literatur ausgelegt sind.

Bei Leseschwierigkeiten mit durchschnittlichem IQ sei zudem erneut die Möglichkeiten didaktischer Hilfsmittel erwähnt, wie in Kapitel 5.3 angeschnitten.

Für Rubins (2015, S. 117) stellen Institutionen wie Krankenhäuser oder Psychiatrien ein günstiges bibliotherapeutisches Setting dar, da viele (nach Beschäftigung suchende) Patienten zur Verfügung stehen (Gruppenarbeit), ein relativ günstiger Personalschlüssel herrscht, ein jederzeit therapeutisches Team sowie geeignete Räume zur Verfügung stehen.

Auf Kurzzeitpatienten sollte eine institutionelle Bibliotherapie angewendet werden, bei denen sich zur Erlangung der Therapieziele Rekreation, Herauslösung aus der Enge des Krankenzimmer und Erziehung anbieten, für Langzeitpatienten sollten die Therapieziele der Selbstakzeptanz und Einsicht im Vordergrund stehen, für die sich eine klinische Bibliotherapie (Gruppentherapie) eignet. (vgl. ebd.)

Die Materialauswahl ist ein besonders sensibles Thema der Bibliotherapie.
Vor allem ist hier besonders wichtig, moralistische, didaktische oder vorurteilsbeladene Materialen zu vermeiden; noch einmal soll an dieser Stelle betont werden, dass literarische Werke unbedingt nach dem Maß ihrer heilenden Wirkung und nicht nach literaturkritischen Werten gewählt werden müssen. (vgl. Petzold/Orth 2015, S. 122)

Während für Shrodes (1949) ein therapiewürdiges Buch Realismus in Form von wirklichen Menschen beinhalten muss, ohne Stereotypen und konstruierte Situationen, ist für Rosenblatt (1938) der richtige literarische Realismus erreicht, wenn das Buch zum Leser passt und die Werte und Emotionen, mit denen der Leser sich vorrangig beschäftigt, darin widergespiegelt werden. (vgl. ebd.)

Bezüglich des Materials empfiehlt Rubin (2015, S. 122f.), dass die Kontrolle der Auswahl stets beim Therapeuten liegen sollte, es sei denn, die Auswahl des Materials ist für die Diagnose oder Entwicklung des Patienten von entscheidender Bedeutung (z.B. Verantwortungstraining).
Selbst dann aber sollte der Therapeut eine Auswahl zur Verfügung stellen, die auf den Patienten und seine Bedürfnisse zugeschnitten sind; meist bieten sich Kurzgeschichten an, da sie keine lange Lesebeschäftigung erfordern und von Persönlichkeitsdynamik, Konflikten und Ängsten handeln. (vgl. ebd.)

Da der Schwerpunkt dieser Arbeit gerade auf das Material der Bibliotherapie liegt, seien hier noch einmal die Grundregeln der Materialauswahl nach Rubins (2015, S. 124f.) aufgelistet:

1. „Der Therapeut sollte kein Material benutzen, mit dem er nicht selbst vertraut ist.
2. Die Länge eines Textes sollte beachtet werden. Umfangreiche Materialien mit themenfremden Situationen und Details sind so lange zu vermeiden, bis eine Gruppe gelernt hat, damit umzugehen. Empfohlen werden Gedichte, Kurzgeschichten, Einakter oder einzelne Kapitel größerer Romane. Kürzere Texte sind aus deshalb praktischer, weil sie leichter zu lesen sind bzw. leichter erinnert werden können und somit mehr Zeit für die Therapie lassen.
3. Die Probleme der Patienten müssen berücksichtigt werden. Die Materialien sollten sich auf die Probleme anwenden lassen, müssen aber nicht identisch damit sein.
4. Die Lesefähigkeit der Klienten muss festgestellt werden und soll die Auswahl des Materials beeinflussen. Bei Leseproblemen empfiehlt sich gemeinsam lautes Lesen oder die Benutzung audiovisueller Materialien.
5. Alter und psychische Entwicklung der Klienten müssen mit dem Schwierigkeitsgrad des Materials abgestimmt werden.
6. Lesepräferenzen bilden ein wichtiges Auswahlkriterium. Die literarische Geschichte der Klienten und die von ihnen angesprochene Interessen liefern den besten Maßstab. Bei Klienten, die selten lesen, sind die Lieblingsfilme und -fernsehserien ein guter Hinweis für mögliche Leseinteressen.
7. Materialien, die Gefühle und Stimmungen der Klienten ausdrücken, sind oft sehr günstig. [...]
8. Audiovisuelle Materialien sollten die gleiche Aufmerksamkeit und kritische Beachtung genießen wie gedrucktes Material."

Worte können nicht nur heilen, sie können auch verletzen.

Abschließend soll nicht unerwähnt bleiben, dass Bibliotherapie – wie jede andere Medizin auch – Nebenwirkungen haben kann.

Lektüreempfehlungen zu therapeutischen Zwecken werden an Menschen gemacht, die in einem fragilen Punkt ihres Lebens stehen.

Ist der Leser zum augenblicklichen Zeitpunkt zu keiner angemessenen Fiktionskompetenz (s. Kapitel 5.2) in der Lage, besteht die Gefahr eines zu starken Identifikations- beziehungsweise Empathieempfindens. Ist der Patient mit solchen aufwühlenden Wirkungen alleine gelassen (gerade bei der Selbstlektüre und ohne Möglichkeit eines Gruppen- oder Therapeutengesprächs), kann die Lektüre seinen aktuellen Gemütszustand verschlimmern (vgl. Heimes 2017, S. 120)

Auch hinter Leseblockaden oder -hemmungen verbirgt sich zuweilen eine schwierige Lesebiografie; gerade bei einer Lesephobie ist eine bibliotherapeutische Maßnahme nicht immer sinnvoll, das gilt auch für den umgekehrten Fall eines übermäßigen Bücherkonsums, der zur Vernachlässigung von sozialen oder privaten Aufgaben führt. (vgl. ebd., S. 121)

Das „Handbuch nichtmedikamentöser Interventionen" empfiehlt Bibliotherapie – mit einem nebenwirkungsfreien Versprechen – bisher lediglich bei leichten bis mittelschweren Depressionen als alleinige (oder ergänzende) Therapiemaßnahme. (Heimes 2017, S. 46)

Im Falle schwerer Erkrankungen bis hin zur Selbstgefährdung kann der Griff zum falschen Buch zur falschen Zeit im schlimmsten Fall mehr Schaden als Heilung anrichten – dass die Macht der Worte in beide Richtungen ausschlagen kann, ist ein wichtiges Bewusstsein, besonders in der Arbeit der Bibliotherapie.

6 Storytelling als bibliotherapeutische Methode

6.1 Ein Leitfaden: Theorie

> *„‚Eine Fabel, ein Märchen oder eine Anekdote‘, bekräftigte Jorge,*
> *‚kann man sich hundertmal besser merken als tausend theoretische Erklärungen,*
> *psychoanalytische Interpretationen oder formale Lösungsvorschläge.‘"*
>
> Jorge in *Komm, ich erzähl dir eine Geschichte* (Jorge Bucay), 1999

Wie lassen sich nun all diese gesammelten Information zusammenfügen?

Ruf (2013, S. 395) schreibt, dass es für die Wertung von Literatur Informiertsein, Wissen und Kompetenz braucht.

Diese Arbeit beschäftigt sich mit dem Ziel, den Therapiewert von Geschichten erkennen und gegebenenfalls steigern zu können; alle gesammelten Erkenntnisse aus den unterschiedlichsten Bereichen dienen dem Zweck, ein versuchsweise geeignetes Modell für dieses Vorhaben zu kreieren.

Wie kann also nun das *Storytelling* so betrachtet und umfunktionalisiert werden, sodass es dem Ziel der Heilung entspricht?

Das Ziel des bibliotherapeutischen *Storytellings* sei dann erreicht, wenn eine rezipierte Geschichte Heilung ermöglicht.

Die literarische Heilung wird durch die Wissensaneignung einer Lösungsstrategie ermöglicht, die der Leser in der realen Welt anwenden kann. Dieses Wissen kann nur angeeignet werden, sofern es gespeichert und verinnerlicht wird.

Wie kann so eine lösungsorientierte Wissensaneignung am besten entstehen?

Indem der Text eine emotionale Wirkung hat, da emotional intensive Erlebnisse am besten verinnerlicht werden.

Damit ein literarischer Text eine emotionale Wirkung entfalten kann, bestehen drei Grundvoraussetzungen:

1. Der Leser empfindet **Lust** am narrativen Text
2. Der Text mobilisiert emotionale **Erinnerungen** im Leser
3. Der Leser empfindet **Empathie** für die im Text vorhandenen Objekte (vor allem Figuren)

Die Lust an einem literarischen Text ist – neben der Existenz eines literarischen Textes – die absolute Mindestvoraussetzung, die für die emotionale Textwirkung gegeben sein muss. Ohne den Willen, sich auf eine Erzählung einlassen zu wollen, kann keine Heilung stattfinden.

Für die Lust am Text sind im besonderen Maße erzähltechnische, formale Aspekte verantwortlich; emotionale Erinnerungen können besonders durch Spannungs- und Rührungseffekte erzielt werden; Empathie kann vor allem gegenüber den Figuren einer erzählten Welt empfunden werden.

Die Textwirkung entsteht durch die Kommunikation zwischen Leser und Text – die damit einhergehende Individualität dieses Prozesses macht den Blick auf Text *und* Leser sehr wichtig, zeigt aber auch die Schwierigkeit der Erstellung eines allgemein-gültigen Modells.

Es ist davon auszugehen, dass sich niemals eine *genaue* emotionale Wirkung prognostizieren lässt; diverse Theorien, Modell-Vorgänger und Untersuchungen aus der Psychologie und Literaturwissenschaft zeigen jedoch, dass bei Anwendung bestimmter Mittel eine allgemein *ähnliche* Rezeptionswirkung erzielbar ist.

Die wichtigsten Erkenntnisse der Arbeit sollen hier noch einmal in gesammelter Form präsentiert werden; gerade sie müssen für die Analyse von Geschichten mit zu erwartetem Therapiewert berücksichtigt werden:

1. Ein guter Spannungsbogen erzielt im Rezipienten eine erhöhte kognitive Aktivierung zur Informationsbeschaffung
2. Qualitative Spannungsbögen nahezu sämtlicher fiktionaler Handlungen thematisieren Überleben, soziale Bindung, Gerechtigkeit, sozialer Status, Fortpflanzung, Ankunft/Heimkehr; dass eine Erzählung sich mit diesen Themen in einer affirmativen, provozierenden oder frustrierenden Weise auseinandersetzt, ist eine kognitive Erwartung sowie ein emotionaler Wunsch des Lesers, da sie auf seinen biologisch begründeten Präferenzen basieren (vgl. Martínez 2011, S. 71)

3. Mögliche Strategien der Spannung sind das Auslassen von Informationen (mitten im Geschehen anfangen), Andeutungen (Prolepsen), unerwartete Informationen durch Abweichung von Erwartungshaltung des Lesers

4. Zuordnungsvoraussetzungen: Jeder Rezipient erwartet vom Text andere zu erfüllenden Bedingungen, die auf subjektive Erfahrungen sowie individuelles wie auch kollektives, konventionalvisiertes Wissen des Lesenden beruhen (Heydebrand/Winko 1996, S. 44)

5. Erzähltexte kleinen Umfangs wie Kurzgeschichten, Fabeln, Parabel, Legende und Märchen bieten sich therapeutisch besonders an, da sie keine lange Lesebeschäftigung verlangen und von Persönlichkeitsdynamik, Konflikten und Ängsten handeln (vgl. Petzold/Orth 2015, S. 123)

6. Allein die Textzuordnung (Gattung, Genre) kann die Spannung einer Geschichte steigern beziehungsweise die Erwartungshaltung des Patienten beeinflussen

7. Möglichst wertfreie Erzählungen mit Humor bieten sich besonders zur Heilung an

8. Vorausdeutungen (Prolepsen), Rückwendungen (Analepsen), Parallelismen und Wiederholungen markieren und verankern zu speicherndes Wissen

9. Bekannte Themen, Motive und Ereignisse organisieren das zu speichernde Wissen

10. Die Lesebiografie beeinflusst den Therapiewert einer Geschichte

11. Archetypen und gängige Erzählmuster erleichtern dem Leser das Einlassen auf den Text sowie die Wissensaufnahme

Für den Therapiewert einer Geschichte berücksichtigt das Modell textinterne Aspekte. Da zum Text in dieser Arbeit nach rezeptionsästhetischem Vorbild aber auch der Leser gehört, ist im Folgenden das erzähltextanalytische Modell in einen Fragekomplex zum Leser und anschließend in einen Fragekomplex zum literarischen Text unterteilt.

Es sei noch einmal betont, dass dieses Modell einen experimentellen, theoretischen Versuch darstellt: nicht alle Fragen müssen oder können beantwortet werden und nicht alle Punkte erfüllen denselben Stellenwert.

Vor allem soll dieser Leitfaden Orientierung und Hilfestellung bei der Suche nach literarischem Therapiewert bieten.

Leitfaden zur leserseitigen Analyse

a) Mögliche zu berücksichtigende Einflussfaktoren auf die Textwertung des Lesers: (Pfohlmann 2008, S. 8)

- Alter

- Soziale Herkunft

- Geschlecht

- Persönlichkeitstyp

- Bildung

- Literaturkenntnis

- Aktuelle allgemeine literarische Normen und Maßstäbe

- Moralische Überzeugungen

- Religiöse bzw spirituelle Überzeugungen

- Politische Einstellungen

- Normen und Rollen in bestimmten Handlungssituationen

- Tagesaktuelle Faktoren

- Kenntnis der Werturteile anderer Leser (beispielsweise des Therapeuten)

b.) Fragen zur Lesebiografie (vgl. Heimes 2017, S. 125f.)

1. Welche Erinnerungen werden mit dem Lesen verbunden? Wie und von wem wurde das Lesen nahegebracht?

2. Was ist das aktuell favorisierte Buch des Lesenden? Kann er ein Lieblingsbuch aus der Kindheit benennen?

3. Wann war die exzessivste Lesephase des Lesenden?

4. Welche literarischen Werke hatten einen entscheidenden Einfluss auf den Lesenden? Kann dies spezifisch begründet werden?

5. Können literarische Werke benannt werden, die dem Lesenden in schweren Zeiten geholfen haben? Was für Zeiten waren das und welche Werke trugen in dieser Zeit zu einer Verbesserung bei?

6. Kann der Lesende literarische Texte benennen, die seine Weltsicht entscheidend geprägt oder verändert haben?

7. Welches literarische Werk hat eine große Sehnsucht im Lesenden ausgelöst? Kann er diese Sehnsucht genauer definieren?

8. Welches literarische Werk versetzte den Lesenden in den „speziellsten Zustand" (beispielsweise Liebesrausch)?

9. Das Schicksal welcher Protagonisten hat den Lesenden am tiefsten berührt?

10. Welches literarische Werk wurde vom Lesenden mehrfach konsumiert?

11. Gibt es einen Lieblingsplatz zum Lesen oder bestimmte Rituale, wenn gelesen wird?

12. Darf der Lesende beim Literaturkonsum gestört werden und wenn ja, von welchen Personen?

13. Bevorzugt der Lesende einen gewissen Autoren?

14. Glaubt der Lesende an die Heilung von Literatur?

15. Wenn ja: die Werke welchen Schriftstellers empfindet er als besonders heilsam?

16. Kann der Lesende literarische Werke benennen, die er für bestimmte Gemütszustände (wie Angst oder Trauer) empfehlen würde?

Leitfaden zur textseitigen Analyse

Leitfragen zur Analyse des Erzählers (vgl. Lahn/Meister 2013, S. 110)

- Wie wird der Erzähler dargestellt?

- In welchem Verhältnis steht der Erzähler zur erzählten Welt? Steht er außerhalb oder ist er ebenso Figur des erzählten Geschehens?

- Liegt ein verschachteltes Erzählen vor? Auf welcher Ebene des narrativen Diskurses befindet sich dabei welcher Erzähler?

- Wann findet das erzählte Geschehen im Verhältnis zum Zeitpunkt des Erzählens statt? Wird von einem Ereignis erzählt, dass früher stattgefunden hat, gleichzeitig stattfindet oder noch stattfinden wird?

- Wen adressiert der Erzähler?

Leitfragen zur Analyse von Erzählerrede und Figurenrede (vgl. Lahn/Meister 2013, S. 141)

- Welche Darstellungsform der Figurenrede (zitierte, transportierte, erzählte) verwendet der Erzähler? Wählt er eine bestimmte Darstellungsform in Einzelfällen und wenn ja, lässt sich darin eine besondere Absicht erkennen?

- Finden sich Passagen mit erlebter Rede und wenn ja, wird die Figurenrede abwertend, ironisch oder mit Sympathie akzentuiert? Welcher Effekt lässt sich dadurch erkennen?

Leitfragen zur Analyse der Zeitrelationen von Diskurs und Geschichte (vgl. Lahn/Meister 2013, S. 164)

- Wird die Geschichte chronologisch oder in Anachronien erzählt? Wenn Anachronien vorhanden sind: lässt sich ihre Funktion erkennen?
- Welche Textstellen werden zeitraffend und welche zeitdehnend erzählt und was bewirkt das?
- Wiederholen sich vergleichbare Ereignisse in der Erzählung und wenn ja, lässt sich der Grund dahinter erkennen?
- Sind Tempuswechsel in bestimmten Handlungssequenzen zu finden? Welchen Effekt hat dieses Vorgehen?
- Sind im Text Zeitangaben zu finden, an denen sich der Umfang der erzählten Zeit bestimmen lässt? Ist der Erzähltext zeitlich bestimmbar oder unbestimmbar?
- Welche Zeitspanne nimmt die Geschichte insgesamt ein? Welche Zeitspanne nehmen einzelne Handlungen und Ereignisse ein?
- Zu welchem Zeitpunkt finden einzelne Handlungen und Ereignisse statt?

Leitfragen zur Analyse des Verhältnisses von Erzählen und Wissen (vgl. ebd., S. 173)

- Welche Informationen enthält der Text? Welches Wissen setzt er dabei voraus und welches Wissen kann dadurch gewonnen werden?
- Welche Strategien der Ordnung und welche kausalen Verknüpfungen werden im Text zur potenziellen Wissensaneignung verwendet?
- Welche Strategien der Wiederholung und Visualisierung lassen sich finden?
- Wie ist der Wissensstand von Erzähler, Figur und Leser? Wer weiß mehr, gleich viel oder weniger?
- Wie wird die Informationsvergabe beziehungsweise -zurückhaltung zur Spannung, Neugier oder Überraschung angewendet? Wie wird dadurch das Leserinteresse gesteuert?
- Hat die Informationsvergabe auch Auswirkung auf die Lesersympathie oder -antipathie bezüglich einer Figur oder dem Erzähler?

Leitfragen zur Analyse von narrativer Unzuverlässigkeit (vgl. ebd., S. 193)

- Sind Handlungen, Figuren, Ort und Zeit im Text nicht ausreichend oder unrichtig dargestellt?

- Sind die Behauptungen und Bewertungen des Erzählers in Bezug auf generelle Sachverhalte glaubwürdig?

- Erhält der Rezipient genügend Informationen zu wichtigen Sachverhalten oder werden diese in zu geringem Umfang mitgeteilt oder gar verschwiegen?

- Berichtet der Erzähler absichtlich unzuverlässig oder ist er sich dessen nicht bewusst?

- Können die Widersprüche im Erzähltext aufgelöst werden und wenn ja, welche Absicht wurde mit dem Einsatz einer unzuverlässigen Erzählinstanz verfolgt?

Leitfragen zur Stilanalyse[24] (vgl. ebd., S.202)

- Lassen sich bestimmte Stilfiguren auf Wortebene des Textes (z.B. Metaphern, Vergleiche) erkennen?

- Lassen sich rhetorische Stilfiguren auf Satzebene des Textes (z.B. Chiasmus, Aufzählung) erkennen?

- Welche verstärkende, ergänzende oder kontrastive Wirkung haben die verwendeten Stilfiguren ausgedrückt?

Leitfragen zur Bestimmung der Erzählintention eines Textes/des thematischen Rahmens (vgl. ebd., S. 214)

- Gibt es Hinweise auf die vom Autor intendierte Rahmung (Titel, Untertitel, Gattungs- und Genrebezeichnung, Stoffe, Motive, etc.)?

- Gibt es intertextuelle Indizien für die Rahmung durch Anspielungen, Zitate oder Figuren?

- Versucht der Text eine gewisse Grundposition zu vermitteln oder von ihr geleitet? Ist diese Grundposition abstrakt (Allegorie, Symbolik)? Wird sie auf einen konkreten neuen Gegenstandsbereich abgebildet oder übertragen?

---

[24] S. 202

Leitfragen zur erzähltechnischen Handlungsanalyse (vgl. ebd., S. 233)

- Welche Figuren beeinflussen im besonderen den Ausgang einer Handlung?
- Repräsentieren die Figuren bestimmte Handlungsrollen (z.B. Aktanten-Rollen nach *Greimas*)?
- Folgt die Verkettung von Ereignissen und Handlungen einem Funktionsschema?

Leitfragen zur Figurenanalyse (vgl. ebd., S.248)

- Wird die Figur vom Erzähler explizit beschrieben oder erschließt der Leser die Persönlichkeit der Figur aus ihren Handlungen und Äußerungen?
- Haben die Figuren runde oder flache Charaktere (Forster)?
- Werden Figurenhandeln, -rede, äußere Merkmale oder die Interaktion mit anderen Figuren zur Charakterisierung einer Figur eingesetzt? Und wenn ja, in welchem Ausmaß und in welcher Form?
- Werden in der fiktiven Welt spezielle Regeln und Normen aufgestellt, nach denen der Lesende Handlungen und Äußerungen der Figuren beurteilen kann?
- Verkörpert die Figur einen sozialen, kulturellen oder psychologischen Typus? Sind die Figuren einer lebenden Person nachempfunden oder haben sie Ähnlichkeit mit ihr?
- Wird die Verteilung der Figurenrollen von Genrekonventionen bestimmt?

Leitfragen zur Analyse des Raums (vgl. ebd., S.253)

- Gibt es einen Ort/Raum oder mehrere? In welchem Verhältnis stehen sie zueinander?
- Wie werden die Orte/Räume beschrieben? Wie stark sind diese Beschreibungen erzähler- oder figurengebunden?
- Welche Funktion haben die Beschreibungen? Dient der Ort/Raum lediglich als Kulisse oder trägt der Raum zur Charakterisierung der Figuren bei?
- Handelt es sich bei dem dargestellten Raum wirklich um eine Außenwelt oder repräsentiert er emotionale Zustände und das Innenleben einer Figur?
- Wie verhalten sich Figuren und Gegenstände im Raum zueinander?
- Wie ist die Raumdarstellung organisiert (z.B. aus der Totale oder Mitte beschrieben?)
- Ist die Räumlichkeit mit einem Wertesystem verbunden?

Leitfragen zur Analyse der Wertung (vgl. Pfohlmann 2004, S. 26ff.)

- Welcher formalen Möglichkeiten bedient sich der Autor? Hat der Autor für das, was er ausdrücken wollte, die optimale Form gefunden? Stimmen Form und Inhalt überein?

- Aus welchen menschlichen Lebensbereichen versucht der Text Werte zu vermitteln?

- Im Verhältnis zu welcher Bezugsgröße steht das Werk?

- Welche Wirkungen löst der Text beim Leser aus beziehungsweise möchte er auslösen?

- Welche gesellschaftlichen Maßstäbe erfüllt der Text?

Die vorliegenden Fragen sollen einen kompakten Leitfaden darstellen, der übergreifend auf ausgewählte Geschichten angewendet werden kann.

Das bereits vorhandene aufgeführte Wissen an förderlichen Techniken, die zu Beginn aufgeführt sind, dienen als zusätzliche Hilfestellung und Ergänzung

Gerade die Erkenntnisse der psychologischen Literaturwissenschaft erneuern sich ständig. Je nach Lesebiografie und -vorliebe sowie neuen Erkenntnissen ändert sich auch die Wichtigkeit beziehungsweise Notwendigkeit bestimmter zu stellender erzähltextanalytischer Fragen.

6.2   Ein Leitfaden: Modellgegenstand

> *„,Als ich zum ersten Mal in Jorges Sprechstunde ging,*
> *wusste ich, dass ich es nicht mit einem gewöhnlichen*
> *Psychotherapeuten zu tun haben würde.'"*
> Demian in *Komm, ich erzähl dir eine Geschichte* (Jorge Bucay), 1999

Zur Analyse soll Jorge Bucays Roman *Komm, ich erzähl dir eine Geschichte* herangezogen werden.

Der Autor, Jorge Bucay, wurde 1949 in Buenos Aires (Argentinien) geboren und ist ein Psycho- sowie Gestalttherapeut. (vgl. Bucay 2017)

Der Roman erzählt die Geschichte des jungen Mannes Demian, der in wöchentlichen Therapiesitzungen gemeinsam mit seinem Therapeuten versucht, verschiedenste Probleme in seinem Leben zu lösen.

Demian, ein nachdenklicher, selbstkritischer Student, stößt nach bisher negativen Therapieerfahrungen durch Empfehlung einer Freundin auf den Gestalttherapeuten

Jorge, den er von Beginn an für einen „nicht gewöhnlichen Psychotherapeuten" hält. (vgl. Bucay 2017, S. 12)

Tatsächlich ist die Therapieform ganz anders, als sie Demian bisher kannte: Jorge erzählt ihm in fast jeder Sitzung eine Geschichte, mit denen er seine Theorien unterstreicht oder zu einem Denkanstoß anregen will.

Mit der Zeit erfährt Demian, dass „der Dicke", wie er ihn bald liebevoll neckend nennt, Fabeln, Parabeln, Märchen, kluge Sätze und gelungene Metaphern liebt, da seiner Meinung nach „der einzige Weg, etwas zu begreifen, ohne die Erfahrung am eigenen Leib machen zu müssen, der [ist], ein konkretes symbolische Abbild für das Ereignis zu haben.

,Eine Fabel, ein Märchen oder eine Anekdote', bekräftige Jorge, ,kann man sich hundertmal besser merken als tausend theoretische Erklärungen, psychoanalytische Interpretationen oder formale Lösungsvorschläge. " (Bucay 2017, S. 15)

So behandelt jedes Kapitel Sitzungen, in denen Jorge eine – seiner Meinung nach – für Demian passende Geschichte erzählt[25] – nach eineinhalb Jahren Therapie endet die Behandlung und Demian geht aus der letzten Sitzung mit dem Gefühl, geheilt zu sein. (vgl. Bucay 2017, S. 318)

Der Umstand, dass der Roman Geschichten enthält, die einem Patienten zu Heilungszwecken von einem Therapeuten erzählt werden, macht *Komm, ich erzähl dir eine Geschichte* zum geeigneten Untersuchungsobjekt der anstehenden Analyse.

Da der Autor Jorge Bucay sich mit der Figur Jorge Namen und Berufsausübung teilt, ist von stark autobiografischen Zügen und Erfahrungen auszugehen; dies macht den zu analysierenden Roman zu einem authentischen bibliotherapeutischen Setting:

Es besteht nicht nur die Möglichkeit, die Binnengeschichten[26] isoliert auf ihren Therapiewert zu untersuchen; durch die Rahmenhandlung können zudem noch weitere Einflussfaktoren hinzugezogen werden (Art und Weise, wie die Geschichte vom Therapeuten vorgetragen und ausgesucht worden ist, Reaktion und Reflexion des Patienten).

---

[25] „Nicht in jeder Sitzung erzählte Jorge eine Geschichte, aber aus irgendeinem Grund erinnere ich mich an fast jede einzelne der Geschichten, die er mir in den anderthalb Jahren meiner Therapie erzählt hat." (Bucay 2017, S. 17)
[26] siehe dazu *Erzählebene*, Kapitel 4.3.3

Wenn auch die Rahmenhandlung fiktiv ist, so wirkt es aufgrund der autobiografischen These authentisch genug, um es versuchsweise wie ein realistisches Setting zu betrachten und zu behandeln.

Dies ermöglicht bei der Methode zudem ebenso die Anwendung der leserseitigen Analyse.

Wird die Rahmenhandlung trotz ihrer Fiktionalität als eine mögliche realistische Darstellung behandelt, so sind nach Rubin (2015, S: 122f.) einige entscheidende bibilotherapeutische Kriterien erfüllt: Der Therapeut wählt die geeigneten Geschichten für den Patienten selbst aus; er trägt sie während der Sitzung vor; es handelt sich bei den Geschichten um Kurzgeschichten, die keine lange Lesebeschäftigung erfordern und von Persönlichkeitsdynamik, Konflikten und Ängsten handelt; die Geschichte wird im Rahmen der begleiteten Therapie vorgetragen; es besteht die Möglichkeit zur Vor- und Nachbesprechung.

Unter diesem Aspekt lässt sich der Therapiewert der intradiegetischen Erzählungen jedes Kapitels, die in der Rahmenerzählung eingebettet sind, nicht nur isoliert und rein formal analysieren, sondern zusätzlich über die bestehenden Informationen der Rahmenhandlung (Aus welchem Grund wird die ausgewählte Geschichte erzählt? Welches Problem hat der Patient zurzeit? Wie reagiert er auf die Geschichte? Wird er durch gewisse Lenkungen vom Therapeuten auf die Geschichte vorbereitet?)

So sollen im folgenden Kapitel exemplarisch drei Binnengeschichten einer Analyse unterzogen werden: Bei der Untersuchung sollen sowohl erzähltechnische als auch leserseitige Elemente berücksichtigt, dessen Informationen aus der Rahmenhandlung entnommen werden.

Die leseseitige Analyse beschränkt sich hier auf die Figur Demian, die als Zielperson/Rezipient der Binnengeschichten und ihrer möglichen emotionalen Wirkung betrachtet wird.

Hintergründig sei die Rahmenhandlung des Romans und ihre mögliche heilende Wirkung berücksichtigt, die damit alle Binnengeschichten mit einbezieht. Während auf der ersten Ebene der Binnengeschichten Demian als Rezipient betrachtet wird, wird auf der Ebene der Rahmenhandlung der potenzielle *reale* Leser als Rezipient verstanden.

Sofern der Leser der Rahmenhandlung Empathie zu Demian empfindet, kann er sich mit diesem identifizieren.

Sofern dieser Vorgang stattfindet, können die Binnengeschichten verstärkend auf den Leser einwirken; die auf Demian zugeschnittenen Geschichten sind so stellvertretend auf den Leser zugeschnitten.

Die aufgeführten Lösungs- und Identifikatonsstrategien wirken im Falle einer Leseridentifikation mit der Figur Demian daher auf doppelter Ebene; es ist anzunehmen, dass Geschichten, die einen therapeutischen Wert für Demian enthalten, ebenso therapiefördernd auf den realen Leser wirken.

Anschließend sollen die Geschichten *Die Fröschlein in der Sahne, der Mann, der glaubte, er sei tot* sowie *Tischlerei ‚Numero Sieben'* methodisch genauer betrachtet werden.[27]

6.3 Leitfaden: Anwendung

„Wie schaffte Jorge das bloß, daß seine Sitzungen fast immer genau am Schluß einer Geschichte endeten? Wie gelang es ihm, mir eine Idee in den Kopf zu setzen, die mich die ganze Woche auf Trab hielt? Manchmal fand ich das wunderbar. Ich hatte sieben lange Tage, um über diese Geschichte nachzudenken, sie zu interpretieren und hin und her zu überlegen, welche Lehre ich für mich daraus ziehen konnte. Aber manchmal machte es mich auch rasend, wenn es mir nicht gelang, zum Kern der Sache vorzustoßen, von dem ich genau spürte, daß er eine wichtige Botschaft für mich enthielt. "

Demian in *Komm, ich erzähl dir eine Geschichte* (Jorge Bucay), 1999

Um den Therapiewert der Binnengeschichten zu untersuchen, wird zunächst einmal die Figur Demian charakterisiert, um die möglichen Einflussfaktoren auf seine Textwertung zu kennen.

Leserprofil

Demians Alter ist nicht bekannt, es handelt sich jedoch um einen jungen erwachsenen Mann; er studiert und arbeitet gleichzeitig (vgl. Bucay 2017, S. 33, 221) und lebt noch bei seinen Eltern (vgl. ebd., S.158). Ebenso hat er eine Freundin, mit der er gerade zu Anfang der Therapie eine Beziehung eingegangen ist (vgl. ebd. S.7, 62).

---

[27]Ein vollständiger Auszug der Kapitel, die die genannten Geschichten beinhalten, finden sich im Anhang zum Nachlesen.

Demian liest gerne (vgl. ebd., S. 36, 100, 220), ist reflektiert, denkt viel über sich und die Welt nach und versucht, alles zu verstehen (vgl. ebd. S. 82, 98, 199, 281).

Er will alles über sich erfahren, um sein Ziel von Glück zu erreichen, was nach seiner Vorstellung Seelenfrieden und das Vertrauen in die eigenen Fähigkeiten beinhaltet (vgl. ebd., S. 87, 118)

Demian kommt mit Selbstablehnung und -zweifeln (vgl. ebd., S. 316) in Jorges Praxis; er fühlt sich oft benachteiligt (vgl. ebd., S. 119), hat Stimmungsschwankungen (vgl. ebd., S. 28, 118), ist immer unzufrieden (vgl. ebd., S. 181) und hat Angst Veränderungen selbstständig zu initiieren, die er nicht einschätzen kann (vgl. ebd., S. 98, 117).

Er fühlt sich oftmals machtlos gegenüber anderen Menschen (vgl. ebd., S. 87), am meisten machen ihm dabei Lügen zu schaffen (vgl. ebd., S.242) oder seine Abhängigkeit von ihren Meinungen und Urteilen (vgl. ebd., S.88, 126)

Vor Jorge machte er eher schlechte Erfahrungen mit Therapeuten (vgl. ebd., S.238), weswegen er Therapien und Therapeuten eher kritisch gegenübersteht (vgl. ebd., S.88f.) – Jorge stellt für ihn die Ausnahme dar, da er das Gefühl hat, die Geschichten, die ihm in der Therapie erzählt werden, Klarheit in sein Chaos bringen (vgl. ebd., S. 82).

Zwischendurch empfindet Demian ein starkes Abhängigkeitsgefühl für Jorge und möchte ihm gefallen, indem er versucht, die Geschichten so zu interpretieren, wie er glaubt, dass Jorge es hören will (vgl. ebd., S. 96f.), doch mit der Zeit nimmt er in sich eine wachsende Reife war (vgl. ebd. S. 281), mit der seine Selbstzweifel, Verlustängste oder auch Schuldgefühle immer besser werden (vgl. ebd., S. 108, 129, 303).

Demian kann sehr stur sein (vgl. ebd., S. 105), er versucht aber immer mehr, sich in Selbstverantwortlichkeit zu üben (vgl. ebd., S.158f.)

Die Fröschlein in der Sahne

Mit dem Leseprofil von Demian sind die möglichen zu berücksichtigen Einflussfaktoren weitgehend bekannt. Demian ist ein gebildeter Mann mit Literaturkenntnis, er ist dem Gedanken eines heilenden Textes gegenüber aufgeschlossen und sucht auch eine darin mögliche Lösungsstrategie für ihn, was sehr gute Anfangsvoraussetzungen für eine heilende Leser-Text-Kommunikation darstellt.

Diese Faktoren gelten für alle drei Geschichten, lediglich die tagesaktuellen Probleme oder auch die Kenntnis der Werturteile anderer Leser, im spezifischen Fall des Therapeuten Jorge, variieren meist, was in vorliegenden Fällen aufgeführt werden soll.

Das Kapitel *Die Fröschlein in der Sahne* beginnt mit Demians Sorgen, die sich auf seine bevorstehenden Prüfungen beziehen. Aufgrund von Überforderung und Stress glaubt er nicht, dass er fähig sein wird, diese zu bestehen und teilt seinem Therapeuten mit, dass er mit dem Gedanken spielt, gar nicht erst für die Prüfungen zu lernen, da es „sowieso aussichtslos ist." (Bucay 2017, S. 33)

Daraufhin erzählt Jorge ihm die Geschichte zweier Frösche, die in einen Sahnetopf fallen und sich aus diesem vermeintlich nicht mehr befreien können. Einer der Frösche gibt schon bald seinen Befreiungsversuch auf und ertrinkt. Der zweite Frosch weigert sich aufzugeben und paddelt stundenlang weiter; durch die Bewegungen verwandelt sich die Sahne allmählich in härtere Butter, wodurch der Frosch aus dem Topf und in Freiheit gelangen kann. (vgl. Bucay 2017, S. 33-35)

Aus dem darauffolgenden Gespräch zwischen Demian und Jorge wird deutlich, dass Demian die Erzählung nur zum Teil verinnerlichen konnte; er entnimmt ihr, dass er nicht aufgeben soll, auch wenn das zu erreichende Ziel aussichtslos ist (vgl. ebd., S.36) Jorge lenkt durch eine ergänzende Geschichte (*Der Mann, der glaubte, er sei tot*) sowie der Verbesserung „Ich glaube allerdings, hier geht es eher um so etwas wie ‚Gib dich nicht verloren, *bevor* du verloren bist'." (vgl. ebd.) ein, dass Demians Problem nicht aussichtslos ist, wie er immer noch annimmt.

Wie ist der Therapiewert der Geschichte beziehungsweise wie hätte man ihn steigern können?
Die Geschichte *Die Fröschlein in der Sahne* hat eindeutig einen Therapiewert, da der Rezipient sich zum Teil von seiner alten Strategie, vollkommen aufzugeben, entfernt.
Die Lösungsstrategie ist jedoch nicht optimal; während der Wert „Durchhaltevermögen" als Erkenntnis den Rezipienten erreicht hat, wurde die innerliche Grundannahme eines „bereits verlorenen Kampfes, noch bevor der Kampf entschieden ist" weiterhin behalten.

Dass der Wert nicht vollständig ankommt, könnte an einem größeren Schwergrad des Problems liegen; Demian hat mit Selbstzweifeln zu kämpfen und Veränderungen, die nicht absehbar sind (vgl. ebd., S. 98, 117). So könnte es schwerer sein, sich als selbstwirksamer Mensch zu betrachten und in seinem Entwicklungsprozess länger dauern, das volle Potenzial der Geschichte aufzunehmen – Demians Aussage folgt gleich nach der gehörten Geschichte, von einem noch bestehenden Verarbeitungsprozess ist durchaus auszugehen.

Der Text sendet mit dem Anfangssatz *„Es waren einmal..."* (vgl. ebd., S.35) das Signal eines Märchens, das bereits eine gewisse Erwartungshaltung des Lesers hervorruft: Demian könnte hier Heilung durch zu deutenden Metaphern beziehungsweise Symbole erwarten; ebenso könnte das Signal den Effekt erwirken, dass sich der Leser auf eine Distanzierung einstellt, da Märchen oftmals in nicht realen Welten spielen.
Demian könnte eine Identifikation möglicherweise leichter fallen, sofern die Figur menschenähnlicher gewesen wäre.
Eine Modifikation hinsichtlich der Figur zu einem Zwerg oder „kleinem Menschen" hätte vielleicht zu einer besseren Identifizierung oder auch Projektion beigetragen.

Die Frösche stellen zwei mögliche Strategien dar; der erste Frosch steht für das Aufgeben. Seine Bedeutung wird durch die direkte Rede verstärkt: „Ich kann nicht mehr. Hier kommen wir nicht raus. In dieser Brühe kann man nicht schwimmen. Und wenn ich sowieso sterben muß, wüßte ich nicht, warum ich mich noch länger abstrampeln sollte. Welchen Sinn kann es schon haben, aus Erschöpfung im Kampf für eine aussichtslose Sache zu sterben?" (Bucay 2017, S. 34)
Die direkte Rede lenkt die Leseraufmerksamkeit auf den Inhalt; zudem kann die darin enthaltende interne Fokalisierung durchaus Identifikation auslösen; dies gilt ebenso für die direkte Rede des zweiten Frosches: „Keine Chance. Aussichtslos. Aus diesem Bottich führt kein Weg heraus. Trotzdem werde ich mich dem Tod nicht einfach so ergeben, sondern kämpfen, bis zum letzten Atemzug. Bevor mein letztes Stündlein nicht geschlagen hat, werde ich keine Sekunde herschenken." (ebd.)
Dieser Inhalt steht für die zweite mögliche Strategie, die auch die positive in der Erzählung darstellt: das Durchhalten.

Problematisch ist, dass beide Lösungsstrategien erzähltechnisch mit gleicher Stärke betont werden: beide Inhalte werden in der internen Fokalisierung über die direkte Rede vermittelt, beide Aussagen werden in einer Textszene getroffen, in der eine Zeitdehnung angewendet wird, die üblicherweise zur Bedeutungsstärkung eines Inhalts eingesetzt wird.

Da die Lösungsstrategie des zweiten Frosches verstärkt werden soll, wäre eine potenzielle Therapiesteigerung durch eine Abschwächung der Aussage des ersten Frosches, der in diesem Fall den „falschen" Lösungsweg verbildlicht, gegeben: Beispielsweise durch indirekte statt direkte Rede oder einen simplen Redebericht des Erzählers. Das Auslassen der Figur und damit der negativen Lösungsstrategie bietet sich nicht an, da Demian über beide Figuren eine Art fiktives Probehandeln auf auf die eigene Lebenswirklichkeit ausführen kann; so steht das Handeln des ersten Forsches für die Möglichkeit, durch die Prüfungen zu fallen, während der andere Frosch die Möglichkeit zum Weg bestandener Prüfungen aufweist. Die richtige Lösungsstrategie kann also durchaus über die Figur des scheiternden Frosches verstärkt werden, sofern durch zuvor genannte Modifikation die Identifikation mit ihm abgeschwächt wird.

Ansonsten erfüllt die Geschichte einige Bedingungen für den Therapiewert eines literarischen Textes. Das Befreien aus dem Sahnetopf stellt eine Grenzüberwindung des semantischen Raumes dar und macht den Text damit erzählwürdig. Er hat in seiner Kürze einen qualitativen Spannungsbogen: die Geschichte beginnt Mitten im Geschehen, zudem wird das Thema Überleben stark affirmativ thematisiert; von einem Rührungseffekt beim Tod des ersten Frosches wurde abgesehen, was vermutlich mehr dem fehlenden Raum durch Textkürze verschuldet ist, jedoch positiv zu bemerken ist, da es den Heilungsprozess in Richtung falscher Lösungsstrategie gelenkt hätte.
Einen Dehnungs- und Rührungseffekt hätte man jedoch bei einer detaillierten Beschreibung des zweiten Frosches anwenden können; durch *showing* hätte eine detailliertere Beschreibung des Überlebenskampfes durchaus einen stärkeren emotionalen Effekt erzielen können.

Der zweite Frosch wird „von hartnäckiger Natur" und als „Dickkopf" charakterisiert (Bucay 2017, S. 34). Der Erzähler (Jorge) der Geschichte setzt diese Beschreibung vermutlich als Signal zur leichteren Identifizierung für den Rezipienten (Demian) ein;

Jorge charakterisiert auch Demian als dickköpfig (vgl. Bucay 2017, S. 105). Vermutlich gelingt die Signalerkennung jedoch nicht, da zum Zeitpunkt der Geschichte Jorge dies noch nicht verbalisiert hat und diese Wahrnehmung sich nicht mit der von Demian deckt.

Der Mann, der glaubte, er sei tot

Diese Geschichte wird von Jorge im Anschluss an die Geschichte *Die Fröschlein in der Sahne* erzählt, um Demian eine optimale Lösungsstrategie für seine Prüfungssituation anzubieten und seine negative Grundannahme eines bereits verlorenen Kampfes in Hinblick auf sein Problem zu verändern.

Eine Nachbesprechung der Geschichte ist in der Rahmenhandlung nicht vorhanden[28], jedoch deutet das nächste Kapitel, das einen Zeitsprung beinhaltet und mit den Worten „Die Hälfte meines Studiums lag hinter mir (…)" (Bucay 2017, S. 40) beginnt, an, dass Demian zu den Prüfungen angetreten und sie positiv absolvierte (da er sonst keine Fortschritte im Studium hätte erreichen können), womit die Vortragskombination beider Geschichten die gewünschte Annahme der Lösungsstrategie erreicht haben muss.

Zu berücksichtigen ist die Tatsache, dass noch die zuletzt gehörte Geschichte in Demian arbeitet; zudem führt Jorge in die folgende Geschichte mit der Anmerkung ein, dass sie in etwa sinnbildlich für den Spruch „Gib dich nicht verloren, *bevor* du schon verloren bist. (…)" steht. (Bucay 2017, S. 36)
Somit wurde für den Therapiewert der Geschichte bereits im Vorfeld einiges beigetragen.

Die Geschichte handelt von einem Mann, der in Angst lebt, tot zu sein. Seine Frau erklärt ihm, dass er am Leben sei, so lange er warme Hände und Füße habe. An einem Wintertag bemerkt er beim Holzhacken im Wald zufällig, dass er sowohl kalte Hände als auch Füße hat und schlussfolgert daraus, definitiv tot zu sein.

---

[28] Auf Ebene der Rahmengeschichte wird mit solchen Leerstellen Leserspannung hervorgehoben

Er legt sich auf den Waldboden und rührt sich nicht mehr, während eine Hundemeute erst seinen Proviantbeutel, dann sein Maultier und schlussendlich ihn selbst auffrisst. (vgl. Bucay 2017, S. 36-39)

Wie ist der Therapiewert der Geschichte beziehungsweise wie hätte man ihn steigern können?

Die Geschichte erfüllt prinzipiell die Anforderung an einen Therapiewert, da sie thematisch auf das Problem des Rezipienten zugeschnitten ist, die bereits bestandenen externen Faktoren vor der Textrezeption wurden ebenfalls bereits erwähnt.

Auch wenn man den literarischen Text isoliert betrachtet, ist definitiv von einer therapeutischen Wirkungssteigerung auszugehen.

Ebenso sind die Mindestanforderungen eines literarischen Textes erfüllt: die Geschichte hat einen Anfang-, Mittel- und Schlussteil, wieder wird mit *„Es war einmal..."* (Bucay 2017, S. 36) eine gewisse Erwartungshaltung an Märchen propagiert. Diese wird teils mit einer zu erwarteten Moral, die mit dem Schlusssatz „Wenn ich nicht tot wäre, würde die Geschichte ganz anders ausgehen" (ebd., S.39) wie auch den beinhalteten Wiederholungen erfüllt; drei Mal frisst die Hundemeute und auch drei Mal denkt sich der Mann, dass er gerne etwas geändert hätte, wenn er nicht tot wäre (vgl. ebd., S. 38f.). Die Zahl Drei[29] wie auch Sieben sind beliebte Symbolzahlen in Märchen, womit die Geschichte auf bekannte Motive und Erzählmuster zurückgreift.

Ebenso wie in *Die Fröschlein in der Sahne* thematisiert auch diese Geschichte das Überleben, mit dem es sich jedoch in frustrierender Weise auseinandersetzt; die kognitive Erwartungshaltung des Lesers, dass der Protagonist der Geschichte überlebt, wird nicht erfüllt.

Eine emotionale Wirkung stellt sich dabei jedoch vermutlich nicht ein; zwar wird die Figur durch direkte Gedankenwiedergabe beziehungsweise interner Fokalisierung teils mentalisiert, es kommt jedoch zu keiner Semantisierung eines Raumes und damit wird auch zu keiner Charakterisierung der Figur beigetragen; der Mann erliegt seinem Todesglauben, er verlässt den Wald nicht, kein Veränderungsprozess findet statt; die

---

[29] auch in dieser Arbeit werden *drei* Geschichten analysiert

richtige Lösungsstrategie – zu Handeln – wird nur impliziert, die Figur entwickelt sich nicht weiter, womit die Erzählwürdigkeit des Textes hinterfragt werden muss.

Dadurch ist auch die Spannungsstrategie fraglich: eine Spannungssteigerung ist durchaus durch Zeitdehnungen – immer kurz bevor die Meute etwas isst – erreicht, in denen die Leserhoffnung auf Handlung verstärkt wird. Da eine Handlung jedoch nie eintritt, kommt es durch die fehlende Klimax zu keinem Wendepunkt; die Geschichte endet abrupt, die Erwartungshaltung des Lesers wird nicht erfüllt.

Auch die Glaubwürdigkeit der Figur ist fraglich: sowohl die Geschichte von *den Fröschlein in der Sahne* als auch *dem Mann, der glaubte, er sei tot* signalisieren durch ihren Anfangssatz ein Märchen; dadurch schmälert sich die Erwartungshaltung an Realismus (und ist beispielsweise das Sprechen von Tieren nicht irritierend), jedoch niemals die Erwartung an eine gewisse Logik.

In *der Mann, der glaubte, er sei tot* wird eine physikalisch mögliche Erzählwelt dargestellt, die der Realität entspricht.

So kann es für den Leser durchaus schwer nachvollziehbar sein, warum es dem Protagonisten als vermeintlich Toter vernünftig erscheint, mit seiner Frau zu sprechen, aber unvernünftig, draußen Holz zu hacken (vgl. Bucay 2017, S. 36f.).

Der Therapiewert ließe sich durch eine Grenzüberschreitung des semantischen Raumes und damit einer Veränderung und dargebotenen (positiven) Lösungsstrategie steigern. Die erwähnte Frau des Mannes könnte hier beispielsweise als Mentor-Figur (s. S. 68) fungieren und dabei eine belehrende Funktion ausüben, die der Heldenfigur zur Entwicklung verhilft.

Ob sich die Geschichte isoliert von begleitender Therapie eignet, ist durchaus fraglich.

Tischlerei ‚Numero Sieben'

Das Kapitel *Tischlerei ‚Numero Sieben'* beginnt mit der Beschwerde von Demian, dass manche Leute sich nicht helfen lassen.

Jorge beginnt sogleich kommentarlos, ihm die Geschichte des Tischlers Joaquín zu erzählen, der auf seinem morgendlichen Spaziergang auf den bewusstlosen, übel zugerichteten Manuel trifft.

Kurzerhand nimmt er ihn nach Hause in seine Werkstatt und pflegt ihn wieder gesund; als Gegenleistung soll dieser ihm bei seiner Arbeit behilflich sein.

Manuel blüht unter der gesunden Ernährung, viel Schlaf und Alkoholverzicht bei Joaquín auf, doch er meidet die Arbeit, wann immer er nur kann. Nach einem halben Jahr beschließt er eines Nachts, wieder einmal etwas trinken zu gehen; damit Joaquín seine Abwesenheit nicht bemerkt, verriegelt er die Tür von innen und lässt eine Kerze brennen, um seine Anwesenheit vorzutäuschen. Als er im Morgengrauen betrunken wieder nach Hause kommt, ist das Haus bis auf ein paar Werkzeuge und die Maschinen fast komplett niedergebrannt; auch Joaquín scheint den Tod gefunden zu haben.

Manuel verspricht ihm an seinem Grab Besserung und baut mit viel Mühe die Tischlerei wieder auf – er lebt nun das Leben, ganz wie es ihm Joaquín gewünscht hat. Zu allen wichtigen Ereignissen seines Lebens besucht Manuel das Grab seines Retters – fünfhundert Kilometer entfernt ist sich der lebendige Joaquín sicher, mit seinem vorgetäuschten Tod das Richtige getan zu haben. Er hat sich mittlerweile an einem anderen Ort mit der seiner neuen Tischlerei ‚Numero Acht' bereits einen Namen gemacht. (vgl. Bucay 2017, S. 56-60)

Das Kapitel beinhaltet im Anschluss der Geschichte den Nachtrag von Jorge, dass es manchmal sehr schwer sein könne, Menschen zu helfen, sich diese Mühe aber, die keine moralische Verpflichtung, sondern eher eine Lebensentscheidung sei, absolut lohne. Menschen mit Selbsterkenntnis würden von sich aus genauso gerne geben wie nehmen; wenn man sich selbst bei kleingeistigen Verhaltensweisen ertappe, solle man sich lieber fragen, wie man aus der Sackgasse wieder herauskommt, in die man scheinbar hineingeraten sei. (vgl. Bucay 2017, S. 61)

Es gibt keine Reflexion oder Reaktion seitens von Demian; es ist jedoch davon auszugehen, dass die Wirkung lange anhält; in einer viel späteren Sitzung fragt er Jorge, ob theoretisch aufgezwungene Therapien gar nicht so schlecht wären, da eine Therapie sicherlich jedem helfen könne (vgl. Bucay 2017, S. 295) – diese Überlegung könnte durchaus von der Textwirkung und dadurch beeinflussten Verinnerlichung kommen, dass sich Hilfe auch bei Menschen lohnt, die sich nicht helfen lassen wollen.

Wie ist der Therapiewert der Geschichte beziehungsweise wie hätte man ihn steigern können?

Die Geschichte *Tischlerei ‚Numero Sieben'* hat ganz klar einen Therapiewert für den Rezipienten.

Im Gegensatz zu den zwei anderen Erzählungen ist sie etwas länger; während *Die Fröschlein in der Sahne* auf knapp eineinhalb Seiten und *Der Mann, der glaubte, er sei tot* auf knapp zweieinhalb Seiten erzählt wird, beträgt die Erzählzeit knapp viereinhalb Seiten.

Auch die erzählte Zeit ist im Gegensatz zu den zwei anderen Geschichten (*Die Fröschlein in der Sahne*: einige Stunden; *Der Mann, der glaubte, er sei tot*: etwa einen Tag) deutlich länger und erstreckt sich über mehrere Jahre.

Es liegt ein späteres Erzählen vor (s. S. 41), das in diesem besonderen Fall dieser Geschichte den Heilungseffekt verstärken könnte: Mit der Tischlerei Nummer Acht wird angedeutet, dass Joaquín damit mittlerweile bereits sieben Menschen geholfen hat; dass das gelungen ist, kann nicht nur inhaltlich, sondern auch formal mit dem Tempus des späteren Erzählens unterstützt werden; jedoch sei an dieser Stelle angemerkt, dass das spätere Erzählen prinzipiell auch ein Regelfall des Erzählens ist.

Die Geschichte hat einen guten Spannungsbogen: Überleben, soziale Bindung, Gerechtigkeit, Fortpflanzung sowie sozialer Status werden in der Erzählung stärker und schwächer thematisiert; Manuel überlebt zu Beginn der Geschichte sowohl körperlich durch die Fürsorge von Joaquin als auch geistig durch seinen (vermeintlichen) Tod, da er sein Leben nicht aufgibt; Joaquín stirbt vermeintlich und ist am Ende doch am Leben; zwischen beiden Männern besteht eine soziale Bindung; Joaquíns Mühen werden durch Manuels langfristige Lebensänderung belohnt (Gerechtigkeit); Manuel erlangt sozialen Status durch ein bürgerliches Leben (Tischlerei, Ehe, Kind, Auto) und kehrt damit wieder in die Gesellschaft zurück, von der er zu Beginn der Geschichte ausgeschlossen war; Joaquín macht sich stets einen guten Namen durch seine Tischlereien (vgl. Bucay 2017, S. 56-60).

Es gibt einige Wendepunkte in der Erzählung, die stets durch zeitdehnendes Erzählen markiert und dadurch intensiviert werden (Joaquín findet Manuel; Manuel erwacht;

Manuel geht trinken; das Haus brennt; Joaquín lebt doch noch). Gerade die Szene, in der die beiden Männer sich das erste Mal kennenlernen, wird besonders gedehnt und mit einem Dialog in direkter Rede mit einem humoristischen Moment gefüllt – da Manuel nicht glauben kann, das Joaquín nur aus Nächstenliebe hilft, erklärt er kurzerhand, er hätte es getan, da er Hilfe benötigt, worauf sie herzhaft lachen (vgl. Bucay 2017, S. 58). Dieses dramatische Mittel dient zur Verdeutlichung der sozialen Bindung.

Ein besonderer Überraschungsmoment stellt die Tatsache dar, als ein Perspektivenwechsel (variable interne Fokalisierung) Joaquíns Überleben auflöst. Dadurch wird eine verwendete Ellipse ab dem Moment des Hausbrands deutlich, die zur gesteigerten Spannung und damit Leseraufmerksamkeit führt. Die Aufmerksamkeit auf den Inhalt wird durch eine weitere Zeitdehnung und Einblick in die Gedanken der Figur verstärkt, in der die Beweggründe Joaquíns als auch seine Lösungsstrategie des Helfens offen gelegt werden.

Sowohl Manuel als auch Joaquín überschreiten die Grenzen semantischer Räume; Joaquín in dem Moment, als er Manuel bei sich aufnimmt und Manuel durch den Hausbrand und den Wiederaufbau der Werkstatt.
Beide Figuren liefern aus unterschiedlichen Perspektiven Lösungsstrategien zur Hilfe; während Joaquín für die Nächstenhilfe steht, repräsentiert Manuel die Selbsthilfe.
Aus Joaquíns Sicht ist jegliche Hilfe gerechtfertigt und wert, auch in Form einer List; Manuel wiederum gibt sich im Moment eines Verlustes nicht auf; aus Verpflichtung und Schuldgefühl erfüllt er Joaquín einen Wunsch, den er ihm zu Lebzeiten nicht erfüllte; in diesem Moment beginnt die Wandlung seiner Figur.

Ebenso finden sich erzähltechnische Wiederholungen; wie bereits erwähnt, symbolisiert die Tischlerei ‚Numero Acht‘, dass Joaquín bereits mehrmals geholfen hat (vgl. Bucay 2017: 60), zudem wird Manuels Griff zum Glas in mehreren Sätzen wiederholt und nicht mit einem abgetan (vgl. Bucay 2017, S. 59); auch dieses Mittel lenkt die Leseraufmerksamkeit auf das Geschehen.

Die Struktur der Erzählung entspricht formal den qualitativen Anforderungen; sofern die Textkürze an die Länge der Sitzung angepasst ist, wurde an entscheidenden Stellen sinnvoll Zeit gerafft sowie gedehnt. Für einen stärkenden Rührungseffekt könnte die Grabszene, in der Manuel verspricht, sich ganz auf die Arbeit zu konzentrieren (vgl. Bucay 2017, S. 59), durch weitere Dehnung und Mentalisierung verstärkt werden, jedoch wird sie im Text bereits durch die direkte Rede hervorgehoben.

Während eine emotionale Wirkung des Textes also durchaus gegeben ist, ist bezüglich des Therapiewertes viel mehr die Wertevermittlung zu hinterfragen.

Prinzipiell wird eine Identifizierung mit beiden Figuren ermöglicht, die die Hilfeannahme aus aktiver und passiver Perspektive darstellen; gerade die letzte Szene und Ansicht Joaquíns ist so aufgebaut, dass eine starke Leseraufmerksamkeit und Wissensspeicherung ermöglicht wird; in dieser wird nahegelegt, dass seine Art der Hilfestellung durchaus berechtigt war.

Zu berücksichtigen ist jedoch, dass Joaquín seinen Tod vorgetäuscht und damit Manuel mit einem möglichen Trauma und Schuldgefühlen zurückgelassen hat; die Geschichte impliziert ebenso, dass Joaquín diese Täuschung niemals aufdecken und Manuel somit für immer mit dem Glauben leben wird, für den Tod eines anderen Menschen verantwortlich zu sein.

Dadurch handelt es sich bei dieser Geschichte um keine wertfreie Erzählung.

Jorge lenkt im Nachtrag den Fokus auf die beabsichtige Lösungsstrategie, die Demian, wie angeführt, zu helfen scheint.

Der Therapiewert der Geschichte ließe sich vermutlich durch einen weniger radikalen Hilfegriff von Joaquin steigern, was jedoch in eine elementare Texteinheit des Motivs eingreifen und damit das inhaltliche Grundgerüst der Geschichte verändern würde.

Somit kann aus methodischer Sicht eine Anwendung dieser Geschichte nicht uneingeschränkt empfohlen werden, sondern nur in einer begleitenden Therapie, wie sie auch in *Komm, ich erzähl dir eine Geschichte* vorhanden ist.

7   Conclusio

„Kindern erzählt man Geschichten zum Einschlafen -
Erwachsenen, damit sie aufwachen."

Jorge Bucay, 1999

Die Untersuchung literarischer Texte hinsichtlich ihres Therapiewerts ist eine vielschichtige und komplexe Angelegenheit.

Im Verlauf der Arbeit wurde erarbeitet, dass es sich bei *Storytelling* um eine Erzählmethode handelt, die je nach Anwendungsgebiet auf die gewünschten Ziele umfunktionalisiert werden kann.

Für den bibliotherapeutischen Bereich steht der gesundheitliche Wert einer Geschichte im Vordergrund – dementsprechend speist diese Form des *Storytellings* von den technischen Mitteln der Erzähltheorie, die die emotionale Wirkung eines Textes ermöglichen.

Wie schwer dieser Ansatz jedoch umzusetzen ist, zeigt sich in der vielfältigen Deutungsebene eines Textes, die einer individuellen Leser-Text-Kommunikation verschuldet ist; so individuell wie der Leser, so individuell kann auch die Wirkung eines Textes sein.

Gerade dieses Wissen spielt eine Bedeutung in der bibliotherapeutischen Arbeit, in der Buchempfehlungen sowohl Besserung als auch Schlechterung eines Krankheitszustandes bedeuten können.

Einen literarischen Text als heilend zu bezeichnen, ist zudem ein Werturteil, das einem ständigen Wandel unterliegt und eine weiteren wandelbaren Faktor darstellt.

Während auf der leserseitigen Textforschung also subjektive Zugangsvoraussetzungen und individuelle Lesebiografien des Rezipienten berücksichtigt werden müssen, können auf der textorientierten Seite zwar Erzähltechniken zur Qualität und damit Wirkungssteigerung eines literarischen Werkes beitragen, doch auch diese unterliegen zum Teil wandelnden Bedingungen und lassen sich nicht vereinheitlichen.

Trotzdem konnten einige Mindestanforderungen herauskristallisiert werden, die für die heilende Wirkung literarischer Texte gegeben sein muss:

1. Der Leser muss eine allgemeine Lust am narrativen Text besitzen.

2. Eine Geschichte muss zumindest Figuren, Schauplätze und Ereignisse vorweisen können.

3. Mit zumindest einem Urthema muss sich eine fiktionale Handlung auseinandersetzen.

Des Weiteren zeigte sich, dass Spannungs- und Rührungseffekte die emotionale Wirkung zusätzlich steigern können.

Doch auch an dieser Stelle muss betont werden, dass die emotionale Wirkung eines Textes noch kein Garant auf eine heilende Wirkung darstellt – wie in der Arbeit ausgearbeitet wurde, kann die hervorgerufene Emotionalität durch einen Text durch beispielsweise zu starke Identifizierung mit der Figur auch negative Konsequenzen haben – das zeigt die potenzielle Macht literarischer Texte und die Wichtigkeit eines verantwortungsvollen Umgangs mit ihr, gerade in der Bibliotherapie.

Aus aktuellem Stand ist literarische Medizin – wie jede Medizin – bei einem ernstzunehmenden Schweregrad der Krankheit nur in therapeutischer Begleitung bedenkenlos zu empfehlen.

Die Arbeit lässt den Schlussgedanken zu, dass sich der Therapiewert einer Geschichte sowohl durch bestimmte Faktoren erkennen als auch durch die Modifizierung erzähltechnischer Mittel steigern lässt.

Bei diesem theoretischen Ansatz stehen empirische Belege jedoch noch aus – weitere Untersuchungen hinsichtlich der Wirkung literarischer Texte wären wünschenswert, wie beispielsweise ein Wirkungsvergleich von Texten in originaler und modifizierter Version, die Faktoren nach vorgelegtem Modellvorbild berücksichtigen – fänden sich weitere universale Techniken, die auch ein spezifischeres Modell zuließen?

Derzeit erfordert das Finden einer Geschichte mit heilender Wirkung immer noch vor allem den Konsum von Literatur – je leseaffiner der Rezipient, desto besser erkennt er die individuellen Signale, die beim Lesen für einen Heilungseffekt vielversprechend erscheinen oder kann bereits auf ein heilendes Buchrepertoire zurückgreifen.

Somit sei zum Abschluss folgender Appell an den Leser gerichtet – damit Geschichten heilen können, muss vor allem eins getan werden:

Lesen Sie! Es lohnt sich.

8 Literaturverzeichnis

Adamczyk, Gregor, 2014. *Storytelling: Mit Geschichten überzeugen.* 1. Auflage, Freiburg: Haufe-Lexware GmbH & Co KG.

Allkemper, Alo, Eke, Norbert Otto, 2010. *Literaturwissenschaft.* 3. Auflage, Paderborn: Wilhelm Fink GmbH & Co. Verlags-KG.

Bucay, Jorge. März 2017. *Komm, ich erzähl dir eine Geschichte,* 20. Auflage, Frankfurt am Main: FISCHER Taschenbuch.

Bendig, R., 1996. Zwischen Chaos und Kultur: Anmerkungen zur Ethnographie des Erzählens im ausgehenden 20. Jahrhundert. In: Zeitschrift für Volkskunde, 92 (2), S.169-184

Campbell, Joseph, 2011. *Der Heros in tausend Gestalten.* 1. Auflage. Berlin: Insel-Verlag.

Demmelhuber, Simon, 2017. *Lenin - Wladimir Iljitisch Uljanow - Ein fanatischer Revolutionär.* https://www.br.de/radio/bayern2/sendungen/radiowissen/geschichte/lenin-uljanow-russland100.html [Zugriff: 29.03.19]

Fludernik, Monika, 2006. *Einführung in die Erzähltheorie.* 2. Auflage, Darmstadt: WGB Verlag.

Friedmann, Joachim, 2016. *Transmediales Erzählen. Narrative Gestaltung in Literatur, Film, Graphic Novel und Game.* Konstanz: UVK Verlagsgesellschaft.

Freytag, Gustav, 2012. *Die Technik des Dramas. Bearbeitete Neuausgabe des Grundlagenwerks für Theater-, Hörspiel- und Drehbuch- und Romanautoren.* 2. Auflage. Berlin: Autorenhaus-Verlag.

Gerk, Andrea. 2015. *Lesen als Medizin. Die wundersame Wirkung der Literatur*, 1. Auflage, Berlin: Rogner & Bernhard GmbH & Co. Verlags KG.

Gelfert, Hans-Dieter, 2004. *Was ist gute Literatur? Wie man gute Bücher von schlechten unterscheidet.* München: Beck Verlag.

Hesselink, Frits, 2013. *The Power of Storytelling. What is a Story and what is storytelling?*
http://www.frogleaps.org/blog/topic/what-is-a-story-and-what-is-storytelling/
[Zugriff: 29.03.19]

Jagow, Bettina von, Steger, Florian (Hrsg.), 2005. *Literatur und Medizin. Ein Lexikon.* 1. Auflage, Göttingen: Vandenhoeck & Ruprecht GmbH & Co. KG.

Hartwig, Susanne; Stenzel, Hartmut, 2007. *Einführung in die französische Literatur- und Kulturwissenschaft.* 1. Auflage. Stuttgart: Metzler Verlag.

Heimes, Silke, 2017. *Lesen macht gesund. Die Heilkräfte der Bibliotherapie.* 1. Auflage.
Göttingen: Vandenhoeck & Ruprecht Verlag.

Heydebrand, Renate von; Winko, Simone, 1996. *Einführung in die Wertung von Literatur: Systematik - Geschichte - Legitimation.* 1. Auflage. Paderborn: Schöningh Verlag.

Jannidis, Fotis; Dennerlein, Katrin; Spörl, Uwe, 2005. *Literaturwissenschaftliche Grundbegriffe online.*
http://www.li-go.de/definitionsansicht/prosa/dertextalssprachlicheszeichensystemdiscours.html
[Zugriff: 29.03.19]

Jannidis, Fotis, 2004. *Figur und Person: Beitrag zu einer historischen Narratologie*, 1. Auflage. Berlin: Walter de Gruyter GmbH & Co. KG.

Kleine Wieskamp, Pia (Hrsg.), 2016. *Storytelling: Digital – Multimedial – Social. Formen und Praxis für PR, Marketing, TV, Game und Social Media.* 1. Auflage, München: Carl Hanser Verlag.

Klarer, Mario, 2011. *Einführung in die Literaturwissenschaft.* 1. Auflage. Darmstadt: WBG Verlag.

Kramper, Andrea, 2017. *Storytelling für Museen: Herausforderungen und Chancen.* 1. Auflage, Bielefeld: transcript-Verlag.

Lahn, Silke; Meister, Jan Christoph (Hrsg.), 2013. *Einführung in die Erzähltextanalyse.* 2. Auflage. Stuttgart: J.B. Metzler Verlag.

Martínez, Matías (Hrsg.), 2011. *Handbuch Erzählliteratur. Theorie, Analyse, Geschichte.* 1. Auflage, Stuttgart: J.B. Metzler'sche Verlagsbuchhandlung und Carl Ernst Poeschel Verlag GmbH.

Martínez, Matías; Scheffel, Michael, 2016. *Einführung in die Erzähltheorie.* 10. Auflage. München: C.H. Beck Verlag

Mueller, Vanessa Nica, 2016. *Nonlineare und interaktive Erzählstrukturen.* Hausarbeit an der Fakultät Technik und Informatik der Hochschule der Angewandten Wissenschaft Hamburg. https://users.informatik.haw-hamburg.de/~ubicomp/projekte/master-nm-2016-sem/mueller/bericht.pdf [Zugriff: 29.03.19]

Meyer, Sophie, 2016. *Bibliotherapie: eine aktuelle Bestandsaufnahme.* Mainz: Mainzer Institut für Buchwissenschaft.

Niedermayer, Gabriele, 2006. *Bibliotherapie - eine Bestandsaufnahme in Zeiten des Internets*, Diplomarbeit, Fachhochschul-Studiengang Informationsberufe Eisenstadt. https://core.ac.uk/download/pdf/11880614.pdf [Zugriff: 29.03.19]

Neuhaus, Stefan, 2014. *Grundriss der Literaturwissenschaft*. 4. Auflage. Tübingen: Francke Verlag

Nicholas, Saul (Hrsg.), 2007. *Literarische Wertung und Kanonbildung*. 1. Auflage. Würzburg: Königshauses & Neumann Verlag.

Petzhold, Hilarion G., Orth, Ilse (Hrsg.), 2009. *Poesie und Therapie. Über die Heilkraft der Sprache*, 2. Auflage, Bielefeld und Locarno: Edition Sirius im Aisthesis Verlag.

Pyczak, Thomas, 2019. *Tell me!: Wie Sie mit Storytelling überzeugen. Für alle, die in Beruf, PR und Marketing erfolgreich sein wollen*. 2. Auflage, Bonn: Rheinwerk Verlag.

Pfeiffer, Joachim. *Psychologische Dimensionen des Lesens*, in:
Parr, Rolf; Honold, Alexander von, 2018. *Grundthemen der Literaturwissenschaft: Lesen*. De Gruyter Verlag.

Pfohlmann, Oliver, 2008. *Literaturkritik und literarische Wertung. 11.-13. Schuljahr*. Hollfeld: Bange Verlag.

Polt, Robert, 1986. *Freude am Lesen. Das illustrierte Handbuch für Bücherfreunde*. 1. Auflage. Wien: Verlag Brandstätter.

Pape, Traute. *Die heilende Kraft der Sprache*. In: Deutsche Gesellschaft für Poesie- und Bibliotherapie e.V. (Hrsg.), 2002. *Die heilende Kraft der Sprache. Poesie- und Bibliotherapie in der Praxis*. 1. Auflage. Düsseldorf: Der Setzkasten Verlag.

Rippl, Gabriele; Winko, Simone, 2013. *Handbuch Kanon und Wertung.* 1. Auflage. Stuttgart: Metzler Verlag.

Rubin, Rhea Joyce. *Bibliotherapie - Geschichte und Methoden.* In: Petzhold, Hilarion G., Orth, Ilse (Hrsg.), 2009. *Poesie und Therapie. Über die Heilkraft der Sprache,* 2. Auflage, Bielefeld und Locarno: Edition Sirius im Aisthesis Verlag.

Statista, 2018. *Buchtitelproduktion: Anzahl der Neuerscheinungen in Deutschland in den Jahren 2002 bis 2017.* https://de.statista.com/statistik/daten/studie/39166/umfrage/verlagswesen-buchtitelproduktion-in-deutschland/ [Zugriff: 29.03.19]

Schneider, Ingo, 2008. *Über die gegenwärtige Konjunktur des Erzählens und die Inflation der Erzähltheorien - Versuch einer Orientierung zwischen den Disziplinen.* In: Gächter, Yvonne; Ortner, Heike; Schwarz, Claudie; Wiesinger, Andreas (Hrsg.): Erzählen - Reflexionen im Zeitalter der Digitalisierung. Storytelling - Reflections in the Age of Digitalization. 1. Auflage, Innsbruck: innsbruck university press.

Schach, Annika, 2016. *Storytelling und Narration in den Public Relations. Eine textlinguistische Untersuchung der Unternehmensgeschichte.* Wiesbaden: Springer Fachmedien Verlag.

Werder, Lutz; Schulte-Steinicke, Barbara; Schulte, Brigitte, 2001. *Weg mit Schreibstörung und Lesestress. Zur Praxis und Psychologie des Schreib- und Lesecoaching.* 1. Auflage. Baltmannsweiler: Schneider Verlag.

Wolfsberger, Judith, 2016. *Frei geschrieben. Mut, Freiheit und Strategie für wissenschaftliche Abschlussarbeiten.* 4. Auflage. Wien: Böhlau Verlag GmbH & Co. KG

Lightning Source UK Ltd.
Milton Keynes UK
UKHW011015270921
391257UK00002B/286